"水浒全传"人物传〔下〕

李延祜 编著

山西出版传媒集团 北岳文艺出版社
·太原·

目录

梁山泊一百零八将

孟康 …… 二九七
裴宣 …… 三〇〇
杨雄 …… 三〇四
石秀 …… 三〇九
时迁 …… 三一四
杜兴 …… 三一八
扈三娘 …… 三二一
李应 …… 三二五
解珍 …… 三二九
解宝 …… 三三四
乐和 …… 三三九
顾大嫂 …… 三四二
孙新 …… 三四六
邹渊 …… 三五〇
邹润 …… 三五四
孙立 …… 三五八
汤隆 …… 三六三
呼延灼 …… 三六七
韩滔 …… 三七三
彭玘 …… 三七六
凌振 …… 三七九
徐宁 …… 三八三
樊瑞 …… 三八八
项充 …… 三九二
李衮 …… 三九七
段景住 …… 四〇二
卢俊义 …… 四〇五
燕青 …… 四一二
蔡福 …… 四一七
蔡庆 …… 四二〇

宣赞 …… 四二三
关胜 …… 四二七
郝思文 …… 四三三
王定六 …… 四三七
安道全 …… 四四〇
单廷珪 …… 四四三
魏定国 …… 四四七
焦挺 …… 四五一

其他部分人物

洪信 …… 四八一
住持真人 …… 四八二
宋徽宗 …… 四八三
高俅 …… 四八五
王进 …… 四八八
王伦 …… 四八九

鲍旭 …… 四五四
郁保四 …… 四五八
董平 …… 四六一
张清 …… 四六五
龚旺 …… 四七〇
丁得孙 …… 四七三
皇甫端 …… 四七六

梁中书 …… 四九〇
晁盖 …… 四九一
高衙内 …… 四九四
富安、陆谦 …… 四九五
卖刀汉子 …… 四九六
董超、薛霸 …… 四九七

牛二 …… 四九八	裴如海 …… 五一五
蔡京 …… 四九九	祝朝奉 …… 五一六
何涛 …… 五〇一	栾廷玉 …… 五一七
阎婆惜 …… 五〇二	毛太公 …… 五一八
武大郎 …… 五〇三	白秀英 …… 五一九
潘金莲 …… 五〇四	高廉 …… 五二〇
王婆 …… 五〇五	罗真人 …… 五二一
西门庆 …… 五〇六	贺太守 …… 五二二
郓哥 …… 五〇七	宿元景 …… 五二三
何九叔 …… 五〇八	曾长者 …… 五二四
蒋忠 …… 五〇九	李固 …… 五二五
刘高 …… 五一〇	贾氏 …… 五二六
黄文炳 …… 五一一	李巧奴 …… 五二七
李鬼 …… 五一二	史文恭 …… 五二八
九天玄女 …… 五一三	王观察 …… 五二九
潘巧云 …… 五一四	李师师 …… 五三〇

杨戬	五三一
童贯	五三二
刘太公	五三四
任原	五三五
郎主	五三六
田虎	五三七
乔道清	五三八
孙安	五四〇
琼英	五四一
叶青	五四三
王庆	五四四
方腊	五四六
附录一 《水浒全传》一百零八将出场次序、回目	五四七
附录二 《水浒全传》一百零八将先后死亡、离去次序	五五〇
附录三 一百二〇回《水浒全传》细节的矛盾	五六六
附录四 《水浒传》三桩女人命案之我见	五六六
附录五 同中有异，各有千秋 ——《水浒传》同类情节析	五七六

孟 康

孟康，人称"玉幡竿"，长得白净，因得绰号。祖籍真定州，善造大小船只，曾为押送花石纲造大船，不堪催逼责罚，杀了提调官，弃家出走，在江湖上安身已经多年。孟康与邓飞、裴宣在饮马川落草。戴宗与杨林去蓟州打探公孙胜消息，路过饮马川，彼此相见。后戴宗、杨林自蓟州回来后，孟康入伙随戴宗去了梁山泊（第44回）。一打祝家庄，孟康代替马麟负责舰船建造（第47回）。打下祝家庄，重新安排职事，孟康未变动（第51回）。

石碣天文载，孟康是七十二员地煞星中的地满星。排座次时，孟康是十六员掌管监造诸事头领之一，负责监造大小战船（第71回）。高俅第三次攻打梁山泊，孟康在水上引诱敌人（第80回）。

梁山招安后，奉旨征辽。孟康随众水军头目驾船由蔡河内出黄河北上（第83回）。攻打蓟州，孟康是宋江左军四十八首领之一（第84回）。

征田虎，打下盖州，宋江军兵分两路合击敌人，孟康分拨到宋江一路（第93回）。宋江率大军攻襄垣，孟康是三十一将佐之一（第98回）。

征方腊宋江军扮作敌兵渡江取润州，孟康是第二拨船上张顺的四偏将之一（第111回）。后随李俊等攻打江阴、太仓沿海州县，是三偏

地満星玉幡竿孟康

将之一（第112回）。攻杭州，宋江所部兵分三路，孟康与李俊等水军将领五人为一路。从北新桥取古塘，截西路，打靠湖城门（第114回）。张顺死后，宋江到灵隐寺追荐，引诱敌人。敌人中了埋伏，急忙退兵。中途孟康和阮小二、阮小五领军杀出，活捉敌将茅迪，乱枪戳死汤逢士。二次部署攻打杭州，孟康和李俊等十一员正偏将驻扎西山寨内，任务不变（第115回）。破杭州后，兵分两路，孟康和李俊等七水军头领率船只，随宋江征进睦州，进攻桐庐，孟康和众水军头领由水路进兵，配合步军劫寨。攻打乌龙岭，该岭正靠长江，山峻水急，难于攻取，宋江差孟康和阮小二、童猛、童威带一半船只上滩，靠近山下时，遭到敌水军顺风火攻，孟康跳下水去，被敌军火排上的炮火击中头部身亡（第116回），后封义节郎（第119回）。

裴　宣

　　裴宣，人称"铁面孔目"，祖籍京兆府人。原是府中六案孔目，极好刀笔。为人忠直聪明，分毫不肯苟且，因得绰号。也能拈枪使棒，舞剑抡刀，智勇足备。因知府寻裴宣事端，刺配沙门岛。从饮马川经过，被邓飞、孟康杀了防送公人，救裴宣上山入伙。因年长，裴宣被推为山寨之主。戴宗与杨林去蓟州打探公孙胜消息，路过饮马川，彼此相见。后戴宗、杨林自蓟州回来后，裴宣入伙随戴宗去了梁山泊（第44回），后做了梁山泊的军政司，负责赏功罚罪（第47回）。三打祝家庄，吴用让戴宗把裴宣请来扮作孔目，和其他人一起把李应家属骗到梁山（第50回）。打下祝家庄，重新安排职事，裴宣未变动（第51回）。

　　打青州，宋江让裴宣定拨下山人马，分作五军起行（第58回）。宋江为山寨之主后，让裴宣掌赏罚（第60回）。攻打大名府救卢俊义、石秀，宋江让裴宣派拨大小军兵（第63回）。利用元宵节里应外合攻打大名府时，吴用让裴宣点拨八路军马（第65回）。宋江分兵攻打东昌府和东平府，让裴宣写两个阄儿，叫宋江、卢俊义拈阄，决定谁去打哪个城市（第69回）。

　　石碣天文载，裴宣是七十二员地煞星中的地正星。排座次时，裴宣是十六员掌管监造诸事头领之一，负责定功赏罚军政司，住梁山第

地正星铁面孔目裴宣

二坡左一带房内（第71回）。李逵东京观灯大闹一场后回山寨途中，遇一刘太太，刘有一女儿，被冒名宋江的人抢去。李逵信以为真，回山寨要杀宋江。宋江愿意与裴宣去对质，以杀头做赌注，让裴宣写了赌赛军令状两张（第73回）。陈太尉奉徽宗之命来梁山泊招安，宋江让裴宣和萧让、郭盛、吕方去二十里外伏道迎接，在忠义堂宣读诏书时，裴宣是赞礼（第75回）。童贯率官军攻打梁山泊，梁山泊以九宫八卦阵对敌，裴宣在中军（第76回）。梁山二次大败童贯，宋江令裴宣验看各人功赏（第77回）。宿太尉奉旨到梁山招安，宣旨时，裴宣和燕青立于宿太尉、张太守座位右侧。宿太尉又令裴宣分朝廷所赐金银牌面和锦缎。去东京招安，宋江令裴宣选拣五七百大汉做仪仗（第82回）。

梁山招安后，奉旨征辽，攻下檀州，裴宣随赵安抚与其他二十二位首领守御（第84回）。由郑州团练使王文斌押解来五十万领衣袄，宋江令裴宣发放（第88回）。

征田虎，打下盖州，宋江军兵分两路合击敌人，裴宣分拨到宋江一路（第93回）。宋江率大军攻襄垣，裴宣是三十一将佐之一（第98回）。征田虎胜利，皇帝派侯蒙宣读诏书，宋江众将面北而跪，由裴宣喝拜行礼（第101回）。

宋江军奉旨征王庆，攻荆南，陈安抚派萧让带裴宣和金大坚去宛州，写勒碑石，裴宣途中为敌掳去，解到荆南城中，威武不屈，后被城中豪绅萧嘉穗率百姓救出（第108回）。攻南丰，宋江军在城外十里布置九宫八卦阵，其中一阵董平为主将，萧让和裴宣在中军分列于左右（第109回）。

征方腊，打下丹徒后，兵分两路，裴宣是宋江所率领的攻打常、苏二州的二十九偏将之一（第112回）。卢俊义派柴进来宋江处报捷，宋江命裴宣写军帖回复，让卢俊义攻湖州，早到杭州聚会。宋江军马抵苏州城下，让裴宣写军状，报告张招讨（第113回）。攻杭州，宋江兵分三路，裴宣是中路攻北关门、艮山门宋江所率第二队十七将佐之一（第114回）。二次部署攻打杭州，裴宣是宋江所率领的攻打北关门大路的二十一偏将之一（第115回）。攻下杭州，宋江命裴宣和蒋敬录记众将功劳。之后兵分两路进击，裴宣和其他三十五员将佐随宋江攻睦州和乌龙岭（第116回）。宋江攻睦州，吴用等六将佐率军支援，裴宣和吕方等十三将佐留守桐庐县营寨（第117回）。

征方腊后，班师回京。宋江让裴宣写谢恩表章并录写朝京大小正偏将佐及先后阵亡去留将佐花名册，后官授武奕郎、都统领（第119回）。裴宣与杨林商定后，又回到饮马川，受职求闲去了（第120回）。

杨 雄

杨雄，人称"病关索"，祖籍河南人。因跟一个做知府的叔伯哥哥来到蓟州，流落在这里。后任知府让杨雄做了两院押狱，兼充市曹行刑刽子。一身蓝花绣，一身好武艺，面貌微黄，因得绰号。一日，决刑回来，众相识与杨雄挂红贺喜，却遇踢杀羊张保领七八个军汉来挑衅，抢杨雄花红缎子，又被他们抓住动弹不得。这时一个挑柴的汉子来帮杨雄，二人打跑了军汉。通姓名后，汉子是石秀，二人结拜为兄弟，杨雄为长，又让石秀住到自己家里，并让他与自己岳丈开一屠宰作坊（第44回）。妻潘巧云与和尚裴如海有奸，被石秀看破，告诉了杨雄。潘巧云反诬石秀调戏，杨雄信以为真，关了屠宰作坊，赶走了石秀。石秀却在夜间用计将裴如海杀死，陈尸杨雄门前（第45回），杨雄才知真相。杨雄和石秀把潘巧云骗到翠屏山，他将妻子和女使迎儿杀死，二人准备投奔梁山泊。

这时遇到时迁，三人同行，途中住宿郓城祝家庄开的酒店，因偷吃店主人报晓雄鸡，双方发生冲突，石秀一把火烧了酒店，逃跑途中时迁被捉。杨雄和石秀继续赶路（第46回），途中巧遇杜兴，由杜兴引荐结识了李应。李修书让祝家庄放时迁不成，李兴师问罪，双方发生冲突。杨雄和石秀助战，李应受伤后，赠杨雄和石秀金银，二人去了梁山泊。在石勇酒店内说明原委，由石勇送到梁山，再由戴宗、杨

天牢星病关索杨雄

林引荐拜见晁盖、宋江等人，诉说时迁被捉等事。

晁盖认为他们假冒梁山好汉偷鸡，有损梁山声誉，要推出问斩，由众人劝说得免。杨雄座次排在杨林之下，石秀之上。参加攻打祝家庄，杨雄是第一拨人马，又与李逵一队人马做先锋（第47回）。杨雄建议拜访李应，要求支援，他和宋江、花荣同去拜访李应，李应不见。杨雄又参加了二打祝家庄（第48回）。三打祝家庄，杨雄攻南门。李应、杜兴被郓城知府捉拿送府，杨雄和宋江等途中劫取，救了李、杜二人（第50回）。后杨雄与石秀守护聚义厅两侧（第51回）。攻打高唐州救柴进时，杨雄是作为策应的十统领之一（实际七人）（第52回）。呼延灼来攻梁山，宋江布置迎敌，杨雄是右军五将之一（第55回）。

宋江让徐宁破呼延灼的连环马，杨雄和陶宗旺分拨为十队步军之一（第57回）。攻打青州，杨雄是第二队四头领之一（第58回）。攻打华州，杨雄是后军五头领之一。梁山人马假冒宿太尉将领御赐金铃吊挂来西岳降香队伍，智取华州时，杨雄扮作四个虞候之一（第59回）。攻打曾头市杨雄是晁盖点的二十个头领之一。宋江为山寨之主后，任杨雄为左军寨第四位首领（第60回）。卢俊义自梁山回北京后，杨雄和石秀奉命去打探消息。途中，遇到剪径的燕青，备知卢俊义被杨雄救出，又被官府拿去，杨雄和燕青去北京报信（第62回）。元宵节里应外合攻打大名府，杨雄和刘唐扮作公人，到北京州衙前歇宿，只看火起时，截住一应报事人员，令城内官府军马首尾不能相应。元宵节夜里，杨雄和刘唐打死了王太守（第66回）

石碣天文载，杨雄是三十六员天罡星中的天牢星。排座次时，杨雄是十员步军头领之一，杨雄和石秀把守梁山西山一关（第71回）。童贯二次打梁山，吴用排下十面埋伏，杨雄和卢俊义、石秀为一部，卢俊义捉了酆美，杨雄和石秀接应（第77回）。高俅二次打梁山，大败，逃回济州，杨雄和石秀带五百步军埋伏在城外，并在城外寨中放火，吓得高俅魂不附体（第79回）。高俅第三次攻打梁山，杨雄与石秀一起捉了官军将领杨温（第80回）。

梁山招安后，奉旨征辽。攻蓟州，杨雄是宋江左军四十八头领之一（第84回）。攻打幽州，与辽将贺统军战，杨雄和石秀将贺统军拈翻在肚皮下，后与众人将贺统军乱枪戳死（第86回）。辽国统军兀颜光在昌平布下混天阵，杨雄和众人在宋江布置下撞杀进去，结果大败（第88回）。昌平失利后，宋江得九天玄女之法，与辽再战，杨雄是攻辽国太阳左军的七员大将之一（第89回）。

征田虎攻打陵川，杨雄是步军首领之一。攻打高平，杨雄与李逵扮作敌人，由田虎降将耿恭赚开城门杀进城去（第91回）。攻打盖州，久攻不下，吴用让杨雄和刘唐等人各带二百军士，手备火把，配合其他头领，日夜鼓噪，行疑兵之计，使敌疲于奔命（第92回）。杨雄混进城去，在一所土地神祠杀死一个道士，与时迁一起放了火，又烧了草料场及几处民宅，外面见城内火起，加紧攻城，里应外合，攻取盖州（第92回）。打下盖州后，兵分两路，进击田虎，杨雄分拨到卢俊义一路（第93回）。汾阳大战，杨雄被会法术的马灵打伤（第99回）。攻破敌都威胜时，杨雄与石秀等七人领兵从前面杀进王宫（第100回）。

宋江奉旨征王庆，攻山南城，依吴用计谋，水军赚开城西水门，杨雄和鲍旭等二十个头领藏于粮船内，进城后杀上岸去（第106回）。在南丰城外大战，王庆败走，想退入城去。卢俊义带杨雄和石秀追杀，杨雄杀死王庆国舅段五（第109回）。

征方腊，宋江军屯扬州城外。有杨浦村陈将士与江南润州方腊的吕枢密联络图谋扬州。燕青依计扮作吕枢密帐前叶虞候带领解氏兄弟杀了陈氏父子。杨雄与鲁智深等十人配合，从前面杀进庄去。宋江军扮作敌军渡江取润州,杨雄是第三拨船上十员正将之一(第111回)。打下丹徒后,兵分两路,杨雄是卢俊义所率领的攻打宣、湖二州的十五员主将之一(第112回)。攻下湖州,杨雄与呼延灼等十九位将佐守卫,并约定夺取德清后,与卢俊义所部到杭州会合(第114回)。围杭州,杨雄与穆弘等四人去西山寨,支援李应等攻打靠湖门(第115回)。破杭州后,兵分两路,杨雄和其他二十七员将佐随卢俊义攻歙州和昱岭关(第116回)。征方腊后,班师回京,启程时,杨雄发背疮而死,后封忠武郎(第119回)。

石 秀

石秀，人称"拼命三郎"，祖籍金陵健康府人。自幼学得枪棒，一生执意路见不平，拔刀相助，故得绰号。父亲是操刀屠户，因随叔父来外乡贩羊买马，叔父半途亡故，消折了本钱，还乡不得，流落蓟州卖柴度日。一日遇七八个军汉对杨雄寻衅闹事，石秀从旁相助，打跑了破落户子弟，二人结拜为兄弟，杨雄为长，遂住到杨家，与杨雄岳丈开一屠宰作坊（第44回）。杨雄妻潘巧云与和尚裴如海有奸，被石秀看破，告诉了杨雄。潘巧云反诬石秀调戏，杨雄信以为真，关了屠宰作坊，赶走了石秀。石秀却在夜间用计将裴如海杀死，陈尸杨雄门前（第45回），杨雄才知真相，石秀和杨雄把潘巧云骗到翠屏山，杨雄将妻子和女使迎儿杀死，二人准备投奔梁山泊。

这时遇到时迁，三人同行，途中住宿郓城祝家庄开的酒店，因偷吃店主人报晓雄鸡，双方发生冲突。石秀一把火烧了酒店，逃跑途中时迁被捉。石秀和杨雄继续赶路（第46回），途中巧遇杜兴，由杜兴引荐结识了李应。李修书让祝家庄放时迁不成，双方发生冲突。石秀助战，李应受伤后，赠石秀和杨雄金银，二人去了梁山泊。在石勇酒店内说明原委，由石勇送到梁山，再由戴宗、杨林引荐拜见晁盖、宋江等人。诉说时迁被捉等事，晁盖认为他们假冒梁山好汉儿偷鸡，有损梁山声誉，要推出问斩，由众人劝说得免。石秀座次排在杨林、杨

天慧星拼命三郎石秀

雄之后。

一打祝家庄，石秀扮作樵夫潜入祝家庄做内应，结识了钟离老人，隐藏他家（第47回）。宋江等杀入祝家庄，幸得石秀指点，宋江等才杀出重围，后石秀又和宋江、杨雄、花荣同去拜访李应，希望支援。石秀又参加了二打祝家庄（第48回）。三打祝家庄，石秀用苦肉计假作让孙立擒去，押在祝家庄牢内，后让邹渊、邹润打开牢门放出，做内应，祝朝奉被石秀一刀剁翻。宋江要洗荡祝家庄，石秀指出还有钟离老人这样的善良百姓，不应杀戮。宋江遂罢，并开仓济民。

李应、杜兴被郓城知府捉拿送府，石秀和宋江等途中劫取，救了李、杜二人（第50回）。之后石秀与杨雄守护聚义厅两侧（第51回）。攻打高唐州救柴进时，石秀是作为策应的十统领之一（实际七人）（第52回）。呼延灼来攻梁山，宋江布置迎敌，石秀是右军五将之一。梁山军马不敌呼延灼的连环马，石秀受了箭伤（第55回）。攻打华州，石秀是后军主粮草五头领之一。梁山人马假冒宿太尉将领御赐金铃吊挂来西岳降香队伍，智取华州时，石秀扮作四个虞候之一，身藏暗器，立西岳庙下，骗来华州贺太守拜谒宿太尉时，他和武松杀死贺太守随从（第59回）。攻打曾头市石秀是晁盖点的二十个头领之一。宋江为山寨之主后，任石秀为左军寨第五位首领（第60回）。

卢俊义自梁山回北京后，石秀和杨雄奉命去打探消息，途中遇到剪径的燕青，备知卢俊义被石秀救出，又被官府拿去。杨雄和燕青去北京报信，石秀一人去了北京。第二日十字街上正要处死卢俊义，石秀从酒楼上跳下来，刽子手蔡福、蔡庆逃走，石秀劫法场，救了卢俊义。官军追来，四座城门关闭，无法出城（第62回）。结果和卢俊义一起让挠钩放翻被捉，下在死囚牢里（第63回）。梁山军马利用元宵节里应外合进攻大名府，石秀被孔明、孔亮、柴进、乐和救出（第66回）。

石碣天文载，石秀是三十六员天罡星中的天慧星。排座次时，石秀是十员步军头领之一，石秀和杨雄把守梁山西山一关（第71回）。童贯二次打梁山，吴用排下十面埋伏，石秀和卢俊义、杨雄为一部。卢俊义捉了酆美，石秀和杨雄接应（第77回）。高俅二次打梁山，大败，逃回济州。石秀和杨雄带五百步军埋伏在城外，并在城外寨中放火，吓得高俅魂不附体（第79回）。高俅第三次攻打梁山，石秀与杨雄一起捉了官军将领杨温（第80回）。

梁山招安后，奉旨征辽。攻蓟州，石秀是宋江左军四十八头领之一。奉宋江之命，石秀和时迁潜入蓟州城里，躲在宝严寺内。宋江攻城紧时，石秀依计在蓟州衙门庭屋上放火。攻下蓟州后，宋江在功劳簿上标写二人功劳（第84回）。攻打幽州，与辽将贺统军战，石秀和杨雄将贺统军拖翻在肚皮下，后与众人将贺统军乱枪戳死（第86回）。辽国统军兀颜光在昌平布下混天阵，石秀和众人在宋江布置下撞杀进去，结果大败（第88回）。昌平失利后，宋江得九天玄女之法，与辽再战，石秀是攻辽国太阳左军的七员大将之一（第89回）。辽降，凯旋回东京。受赏赐后，一日石秀与戴宗出去闲走，酒店遇一大汉（第90回），从他口中得知河北田虎作乱，遂与戴宗一起报告宋江。

征田虎攻打陵川，石秀是步军首领之一。攻打高平，石秀与李逵扮作敌人，由田虎降将耿恭赚开城门杀进城去，曾与敌将张礼拼杀（第91回）。攻打盖州时，吴用让石秀和时迁混进城去，他在一所土地神祠杀死一个道士。石秀与时迁一起放了火，又烧了草料场及几处民宅，外面见城内火起，加紧攻城，里应外合，攻取盖州（第92回）。打下盖州后，功劳簿上标写石秀的功劳，后又兵分两路，进击田虎，他分拨到卢俊义一路（第93回）。汾阳大战中被会法术的敌将马灵打伤（第99回），攻破敌都威胜时，石秀与杨雄等七人领兵从前面杀进王宫（第100回）。

宋江奉旨征王庆，攻山南城，依吴用计谋，水军赚开城西水门，石秀和鲍旭等二十个头领藏于粮船内，进城后杀上岸去（第106回）。在南丰城外大战，王庆败走，想退入城去。卢俊义带石秀和杨雄追杀，他杀死敌将丘翔（第109回）。

征方腊，兵至淮安。吴用、宋江令石秀和阮小七去大江中焦山打探，他们先到扬州，而后去了焦山。攻下润州后，童威、童猛奉命引兵去焦山寻取二人（第111回）。石秀和阮小七要求宋江调拨水军支援，后李俊等八人来到。石秀作为七员正将之一，同去攻打江阴、太仓沿海州县（第112回）。攻下江阴、太仓，石秀又和张横、张顺攻嘉定，后回到苏州宋江军马处（第113回）。

攻杭州，宋江兵分三路，石秀是中路攻北关门、艮山门宋江所率第二队十七将佐之一。张顺死后，宋江到灵隐寺追荐，引诱敌人，带石秀和戴宗等四人引兵由小路来寺。行祭时，让石秀和马麟、樊瑞埋伏于左右（第114回）。敌果中计，来捉宋江，大败而回，后石秀又和马麟、樊瑞留在西山沟内，支援李俊等。二次部署攻打杭州，石秀和李俊等十一名正偏将驻扎西山寨内，任务不变（第115回）。攻城时，阵中石秀和李俊生擒敌将吴值。破杭州后，兵分两路，石秀和二十七位将佐随卢俊义攻打歙州和昱岭关（第116回）。攻昱岭关，到了关前，石秀和史进等六将校前去出哨，中了埋伏，史进被敌将神箭手小养由基射下马来，石秀和其他四人上前救回。此时，伏兵四起，弩箭如雨，六人全被射死（第118回），后石秀被封忠武郎（第119回）。

时　迁

　　时迁，人称"鼓上蚤"，祖籍高唐州人。专做飞檐走壁，跳篱骗马的勾当。曾在蓟州府吃官司，杨雄救了时迁，又在山里挖古坟。一日见杨雄、石秀杀了潘巧云，二人去投梁山，时迁也一同前往，途中住宿郓城祝家庄开的酒店。因偷吃店主人报晓雄鸡，双方发生冲突，石秀一把火烧了酒店，逃跑途中时迁被酒家伙计用挠钩翻倒，捉到祝家庄去（第46回）。三打祝家庄时，由邹渊、邹润打开牢门救出（第50回），后帮助石勇管理酒店（第51回）。

　　呼延灼攻打梁山，酒店被毁，时迁和石勇等逃回梁山（第55回）。梁山要破呼延灼的连环马，汤隆建议只有请他姑舅哥哥徐宁上山。要让徐宁上山，就要把他的一副镇家宝"赛唐猊"盔甲盗来，然后诱他上山。吴用让时迁去盗来。依汤隆之计，先让戴宗送走，自己挑空匣而行。时迁又依汤隆之计，在画有粉圈笔迹的酒店、饭店、客店食宿。后汤隆、徐宁果然追拿到时迁，时迁自称姓张，排行张一，佯称盔甲已被同伙李三拿去，于是他带领二人追赶，又遇到事先安排好的扮作赶车的乐和，将徐宁用麻药酒放翻，送上梁山（第56回）。徐宁破了呼延灼的连环马后，时迁和石勇又回去开酒店（第57回）。

　　宋江为山寨之主后，石勇负责北地收买马匹，时迁职事未变（第60回）。梁山人马利用元宵节，里应外合，攻打大名府。时迁主动要

地賊星鼓上蚤時遷

求去城里翠云楼上放火,以此为号,共同举事。吴用要时迁一更在楼上放火,时迁越墙而过,进了城。当日先到翠云楼上打了一个趸,鼓打二更时,时迁才趸入翠云楼,遇到解珍,这时听人喊梁山人马到了西门,他就在楼上放起火来(第66回)。大名失陷,蔡京举荐凌州团练使单廷珪、魏定国来打梁山。李逵请战不允,深夜出走。宋江派时迁和其他三人分头去找,找到李逵,他不回,时迁自己回到山寨(第67回)。

　　二次攻打曾头市前,吴用派时迁去探明情况,时迁潜入曾头市,数日后回来汇报曾头市布防详情。吴用布兵,时迁随宋江等攻打正中总寨。围曾头市后,又让时迁两次到曾头市探听情况,探明了陷坑。曾头市和梁山议和谈判,时迁和李逵等五人去做人质。行前吴用跟他附耳密语,吴用要用计诱出曾头市兵马,而后乘虚攻打曾头市。郁保四事先给时迁通了消息,待曾头市的史文恭等偷袭中计,欲回村寨自保时,时迁按吴用嘱咐在法华寺钟楼上撞钟为号,梁山人马合力攻寨(第68回)。梁山分别攻打东昌府、东平府,时迁随卢俊义攻打东昌府(第69回)。

　　石碣天文载,时迁是七十二员地煞星中的地贼星。排座次时,时迁是四员军中走报机密步军头领之一(第71回)。高俅大造战船准备第三次攻打梁山泊,时迁受命和段景住去济州敌营放火,烧了城楼和城西草料场(第80回)。

　　梁山招安后,奉旨征辽。攻蓟州,时迁是宋江左军四十八头领之一。奉宋江之命,和石秀潜入蓟州城里,躲在宝严寺内。宋江攻城紧时,时迁在寺内塔上、佛殿内放火。攻下蓟州后,宋江在功劳簿上标写二人功劳(第84回)。宋江、吴用诈降辽国,时迁扮作百姓,跟随吴用,赚开辽国要塞益津关,并与众人攻占文安县(第85回)。攻打幽州,途中中计,卢俊义和其他十一位首领兵陷青石峪,宋江派时迁和段景住、石勇、曹正此四处打听消息（第86回）。攻打盖州时，吴用让时迁和石秀混进城去。在土地神祠、草料场及几处民宅放了火。外面见城内火起，加紧攻城。里应外合，攻取了盖州（第92回）。打下盖州后，功劳簿上标写时迁的功劳。

后又兵分两路，进击田虎，时迁分拨到宋江一路（第93回）。攻破敌都威胜，时迁与众将分头去杀田虎臣属（第100回）。

宋江奉旨征王庆，攻山南城，依吴用计谋，水军赚开城西水门，时迁和鲍旭等二十个头领藏于粮船内，进城后杀上岸去（第106回）。胜王庆后，班师回京，元宵节时迁和乐和进京戏耍（第110回）。

征方腊，打下丹徒后，兵分两路，时迁是卢俊义所率领的攻打宣、湖二州的三十二偏将之一（第112回）。攻下湖州，卢俊义所部兵分两拨，时迁与卢俊义等二十三将佐攻打独松关（第114回）。时迁和李立等四人从小路半夜里摸到关山，放起火来，敌兵败走，他和白胜活捉了守关敌将卫亨。围杭州，时迁是宋江所率领的攻打北关门大路的二十一偏将之一（第115回）。破杭州后，兵分两路，时迁和二十七位将佐随卢俊义攻打歙州和昱岭关（第116回）。初攻昱岭关折损六名将佐，朱武献计，让时迁到山中寻路，时迁到了一庵中，从一个老和尚口里探得去关上道路，回来后，朱武又让他带上火种火炮，到关后施放。时迁潜到关后，在草堆上放起火来，又到屋脊上放炮，敌兵大乱，他大呼，有一万宋兵过关，虚张声势。林冲、呼延灼乘机杀上关来，夺了昱岭关，他得了厚赏（第118回）。

征方腊后，班师回京，临启程时，时迁得绞肠痧而死，后封义节郎（第119回）。

杜 兴

杜兴，人称"鬼脸儿"，祖籍中山府，面颜生得粗莽，因得绰号。来蓟州做买卖，一口气上打死了同伙客人。吃官司押在蓟州府里。杨雄见杜兴懂得拳棒，遂救了他，后到了郓城李家庄在李应家做主管。杨雄、石秀、时迁去投奔梁山，途中在祝家庄酒店与店主争斗，时迁被捉，杨雄、石秀二人逃走，恰遇杜兴。杜兴答应可救时迁，于是将二人引见给李应。李应修书让祝家庄放时迁，祝家庄不应。杜兴亲自前往，仍不应，于是刀兵相见，杜兴跟随主人李应助战。李应受伤，杜兴救回主人。李应让杜兴资助杨雄、石秀金银去梁山泊（第47回）。

一打祝家庄失利，宋江去拜访李应，李不见。杜兴向宋江通报，打祝家庄只防备扈家庄即可，李家庄不会增援（第48回）。祝家庄告李应勾结梁山强寇，知府将李应和杜兴捉去，途中为宋江等人所救，上了梁山（第50回）。宋江为山寨之主后，杜兴和白胜掌管什物（第60回）。元宵节里应外合攻打大名府，救卢俊义、石秀，杜兴是八路军马中第五队步军首领穆弘手下二将之一。杜兴和郑天寿在穆弘带领下，从东门杀进大名府（第66回）。

石碣天文载，杜兴是七十二员地煞星中的地全星。排座次时，杜兴和朱贵开南山酒店（第71回）。高俅第三次攻打梁山泊，杜兴是梁山水军小头目之一，与汤隆、李云一起杀了敌将叶春、王瑾

地全星鬼脸儿杜兴

（第80回）。

梁山招安后，奉旨征辽。攻打蓟州，杜兴是卢俊义右军三十七首领之一（第84回）。

征田虎，打下盖州后，杜兴奉命和花荣、董平、施恩四人镇守。花荣命杜兴于城北五里外与施恩分营驻扎（第94回）。新官到任后，他们回到昭德宋江处（第99回）。

征方腊，宋江军扮成敌兵，渡江取润州，杜兴是第二拨船上首领张横手下的四员偏将之一（第111回）。征方腊，打下丹徒后，兵分两路，杜兴是宋江所率领的攻打常、苏二州的二十九偏将之一。攻常州，敌西门守将金节射下一信，约定里应外合，鲁智深、武松让杜兴报告宋江（第112回）。攻苏州前，宋江命李应带领杜兴和孔明等四人去江阴、太仓、昆山、常熟、嘉定等地支援水军，后回到宋江处（第113回）。攻杭州，宋江兵分三路，杜兴与李应等六将佐是中路第三队，负责水路陆路助战策应（第114回）。二次部署攻打杭州，杜兴和李应等八人管领各寨探报联络，各处策应（第115回）。攻下杭州后，兵分两路进击。杜兴和其他三十五员将佐随宋江攻睦州和乌龙岭（第116回）。宋江攻睦州，吴用等六将佐率军支援，杜兴和吕方等十三将佐留守桐庐县营寨（第117回）。

征方腊后，班师回京，官授武奕郎、都统领（第119回）。杜兴随李应回到独龙冈，后与李应一处做富豪，得以善终（第120回）。

扈三娘

扈三娘，人称"一丈青"，郓城独龙冈扈家村人。扈太公女，扈成妹，使两口日月双刀，善于马战，许于祝家庄祝彪为妻（第47回）。宋江三打祝家庄，扈三娘去救助，活捉了王英。在追赶宋江时，被林冲活捉。宋江把扈三娘押解上山，安顿在宋太公处（第48回），认宋太公为义父。由宋太公主持，众头领为媒，嫁给了王英（第50回），与王英在后山寨监督马匹（第51回）。呼延灼攻打梁山，宋江布置迎敌，扈三娘打第四阵。并用红锦套索生擒彭玘（第55回）。宋江让徐宁破呼延灼连环马，分拨十队步军。扈三娘和王英引领其中一队。大战中，二人曾拦截呼延灼（第57回）。宋江为山寨之主后，让扈三娘和王英、曹正把守山后左一个旱寨（第60回）。攻打大名府，救卢俊义、石秀，扈三娘是第三拨女头领。曾与众头领围攻大名府兵马都监李成和管军提辖使索超（第63回）。元宵节里应外合攻打大名府，扈三娘和王英等三对夫妻扮作村里夫妇混入城去，准备到卢俊义家放火。事起后，扈三娘和王英在南瓦子前杀将起来（第66回）。梁山兵马攻打东昌府、东平府，扈三娘随宋江攻打东平府，和王英及张青夫妇用绊马索捉了东平府兵马都监董平。她和孙二娘押解董平去见宋江（第69回）。

石碣天文载，扈三娘是七十二员地煞星中的地慧星。排座次时，

地慧星一丈青扈三娘

扈三娘和王英是专掌三军内探事马军头领（第71回）。童贯率官军攻打梁山泊，梁山泊以九宫八卦阵对敌，扈三娘是中军后阵三个女头领之一（第76回）。高俅二打梁山失败后，宋徽宗下令招安。吴用怕有阴谋，差扈三娘，引着孙新、顾大嫂、孙二娘、王英、张青，带马军一千埋伏济州西路，听得连珠炮响后，杀奔北门与东门人马取齐（第79回）。宋江等人马到济州城外听旨，官军由城内杀出，扈三娘和李逵截击（第80回）。

梁山招安后，奉旨征辽，攻下檀州，扈三娘随赵安抚与其他二十二位首领守御（第84回）。昌平失利后，宋江得九天玄女之法，与辽再战，扈三娘是攻辽国太阴右军的七员大将的第一位头目。与王英生擒辽太阴星天寿公主。辽降后，扈三娘奉命与女将等先班师（第89回）。

征田虎，打下盖州后，又兵分两路击田虎，扈三娘分拨到宋江一路（第93回）。攻昭德，乔道清用妖术大败宋江。吴用率扈三娘和王英等六人领兵接应，途中与宋江相遇（第95回）。公孙胜初破妖术后，宋江、公孙胜率扈三娘和林冲等七人领兵追击，大胜，收兵回寨（第96回）。宋江率大军北攻襄垣，扈三娘和王英及孙新夫妇奉命先行哨探北军虚实。阵中王英被敌女将琼英用石子打伤，她出马与琼英交锋，也被对方石子击中右手腕，拨马回阵，被顾大嫂、孙新保护退走（第98回）。田虎援襄垣，宋江率扈三娘和吴用等八人统军，途中拒敌（第100回）。

宋江军马奉旨征王庆。攻荆南纪山受阻，吴用拟智取，扈三娘和黄信等四人留于营内，听号炮响后，从东路抄到军前拦击敌人（第107回）。攻南丰，在城外扈三娘和顾大嫂、孙二娘领兵与敌交锋，诈败诱敌深入。王庆突围，扈三娘和张青等八人拦住厮杀（第109回）。

征方腊，打下丹徒后，兵分两路，扈三娘是宋江所率领的攻打常、苏二州的二十九员偏将之一。攻常州，与王英一起捉了敌将范畴（第112回）。攻杭州，宋江兵分三路，扈三娘与朱仝等六将佐是攻取东门的一路（第114回）。二次部署攻打杭州，扈三娘和李应、王英等八人管领各寨探报联络，各处策应。解珍、解宝劫取了给杭州运送粮食的船只，扈三娘和王英及孙新、张青夫妇扮作艄公艄婆，混入城内，里应外合（第115回）。阵中扈三娘和孙二娘、顾大嫂一起生擒了敌将张道原。攻下杭州后，兵分两路进击，扈三娘和其他三十五员将佐随宋江攻睦州和乌龙岭。途中攻桐庐，扈三娘和解珍等五人率兵由东路去桐庐县劫寨，和王英一起生擒敌将温克让（第116回）。

宋江在乌龙岭下中了埋伏，吴用派扈三娘和秦明、李逵等十三将佐救援。攻睦州前，访得一老人，宋江带扈三娘和花荣等十二员将佐由老人引领从小路绕过乌龙岭，到了睦州附近，敌人大惊。攻睦州，敌军来援，扈三娘和王英奉命迎敌。敌人郑彪，号称郑魔君，用魔法乱了王英枪法，将王刺死，扈三娘急忙来救丈夫，郑彪战一会合，回马便走，她要报仇，急赶上来，不提防却被郑彪用镀金铜砖打下马来而死（第117回），后扈三娘被封义节郎，加赠花阳郡夫人（第119回）。

李 应

李应，人称"扑天雕"，郓城独龙冈李家庄庄主。使一条混铁点钢枪，背藏飞刀五口。百步取人，神出鬼没。与祝家庄、扈家庄结下生死誓愿，同心共意，但有吉凶，递相救应，防备梁山泊借粮。杨雄、石秀、时迁投奔梁山途中，与祝家庄酒店发生冲突，时迁被抓。这时巧遇李应主管杜兴，杜兴把杨雄、石秀引见给李应。李应修书祝家庄要求释放时迁，祝家不允，两家刀兵相见，李应中祝彪一箭，被杜兴救回。李应要杜兴资助杨雄、石秀金银去梁山（第47回）。祝家庄告李应勾结梁山强寇，郓州知府把他和杜兴捉去，途中为宋江等人所救，初始不肯落草，后知家眷已被接上梁山，无奈只好应允（第50回）。

上山后，与杜兴、蒋敬总管山寨钱粮金帛（第51回）。呼延灼用连环马大败梁山军马，宋江让徐宁破其连环马，李应和其他五位首领分领马军搦战（第57回）。攻打华州，李应是后军五将之一。劫持宿太尉时，李应与朱仝持长枪立于宋江、吴用之后。梁山人马假冒宿太尉将领御赐金铃吊挂来西岳降香队伍，智取华州时，李应扮四个衙兵之一。骗来华州贺太守拜见宿太尉后，李应和其他头领杀死贺太守随从（第59回）。宋江为山寨之主后，任李应为前军寨第一位首领（第60回）。吴用设计让卢俊义落草，李应依计和众头领诱卢深入，进了

天富星扑天雕李应

包围圈（第61回）。元宵节里应外合攻打大名府，救卢俊义、石秀，李应和史进扮作客人，去东门外安歇。见城中火起，先斩把门军士，夺下东门，好做退路。事起后，梁中书要奔东门，被李应和史进拦住，杜迁、宋万接着出来，四人把住了东门（第66回）。

石碣天文载，李应是三十六员天罡星中的天富星。排座次时，李应和柴进是掌管钱粮仓廒收放，住忠义堂左边（第71回）。

梁山招安后，奉旨征辽，攻下檀州，李应随赵安抚与其他二十二位首领守御（第84回）。昌平失利后，宋江得九天玄女之法，与辽再战，李应是攻辽国土星阵主将关胜辖下八员副将之一。辽降后，李应是护送宿太尉去辽国京城燕京宣旨的十员上将之一（第89回）。征田虎，攻下陵川后，由李应和柴进防守（第91回）。新官到任后，李应和柴进回到昭德宋江处（第99回）。

宋江军奉旨征王庆，兵屯阳翟城外方城山树林中。料敌人会来火攻，遂把粮草堆积于山南平麓，引诱敌人，让李应和柴进带兵看守，敌果然中计，大败（第105回）。攻荆南纪山受阻，吴用拟智取，李应和柴进等四人留于营中。听号炮响后，从西路抄到军前拦击敌人（第107回）。李应和柴进统领单廷珪等六人护送辎重车辆，途中遭敌军劫掠，柴进用计火烧、炮击敌人。大胜后，李应与柴进兵合一处，将粮草等运到大寨（第108回）。

征方腊，打下丹徒后，兵分两路，李应是宋江所率领的攻打常、苏二州的十三员正将之一（第112回）。攻苏州前，宋江命李应带领孔明等四人去江阴、太仓、昆山、常熟、嘉定等地支援水军，后回到宋江处（第113回）。攻杭州，宋江兵分三路，李应与孔明等六将佐是中路第三队，负责水路陆路助战策应（第114回）。二次部署攻打杭州，基本任务不变，李应和孔明等八人管领各寨探报联络，各处策应（第115回）。攻下杭州后，兵分两路进击。李应和其他三十五员将佐随宋江攻睦州和乌龙岭（第116回）。宋江在乌龙岭下中了埋伏，吴用派李应和秦明、李逵等十三将佐救援。初攻睦州不利，吴用和李应等六将佐提兵一万从水路策应。二次攻睦州，阵中杀死敌将伍应星（第117回）。攻帮源洞方腊宫苑，李应和关胜、花荣、朱仝四将围攻方腊皇侄方杰。方杰退走，柴进挡住退路，把手一招，四将随柴进杀入洞中。

征方腊后，班师回京。官授武节将军，中山府郓州都统制（第119回）。任职半年，闻柴进求闲去了，自思不能为官，也推称风瘫，缴纳官诰回故乡独龙村过活，后李应与杜兴一处做富贵，俱得善终（第120回）。

解　珍

解珍，人称"两头蛇"，山东登州人。山下猎户，父母双亡，未曾婚娶。使一把混铁点钢叉，武艺惊人，州里猎户都让解珍第一，七尺以上身材。登州城外山上多虎狼，出来伤人，知府限期猎户捕虎，解珍与弟解宝被限三日内捉到老虎，第三日杀死老虎，死虎滚到毛太公园内。兄弟二人去讨虎，却早被毛仲义送县衙请赏。二人反以混赖大虫，乘机抢掳罪被告到县衙，投入监狱。幸得亲戚小节级乐和通风报信给解珍表姐顾大嫂，她又联络了丈夫孙新和邹渊、邹润、孙立、乐和一起劫了牢，救了解氏兄弟，而后杀了毛太公一家，大伙同奔梁山（第49回）。

正值梁山人马攻打祝家庄失利时，恰好祝家庄教师栾廷玉是孙立的师兄弟，孙立献里应外合之计。以拜访老友为名，进了村子，解珍和解宝等人随往。三打祝家庄，解珍在庄里和解宝点火为号，指示宋江人马进攻（第50回）。打下祝家庄后，解珍和弟弟负责把守梁山山前第一关（第51回）。宋江让徐宁破呼延灼的连环马，解珍和解宝引领步军十队中之一队人马（第57回）。攻打青州，解珍是第二队四头领之一。呼延灼被俘同意落草，解珍又扮作青州军士随呼延灼赚开城门，在城内放火（第58回）。攻打华州，解珍是中军六将之一。梁山人马假冒宿太尉将领御赐金铃吊挂来西岳降香队伍，智取华州时，解

天暴星两头蛇解珍

珍扮作宿太尉四个虞候之一，骗来华州贺太守拜谒宿太尉时，解珍和解宝杀死贺太守（第59回）。

宋江为山寨之主后，让解珍和解宝把守山前第二关（第60回）。攻打大名府救卢俊义、石秀，解珍和其他三人是第二拨人马。大战中，他们曾接应李逵，并与众头领围攻李成、索超（第63回）。元宵节里应外合攻打大名府，解珍和解宝扮作猎户，去城内到官府献纳野味。号火起后，在留守司前拦截报事官兵。攻城开始，二人留在留守司前，使梁中书不敢回衙（第66回）。二次攻打曾头市，解珍是随宋江等人攻打正中总寨的副将之一。曾头市史文恭要来劫寨，吴用让解珍居于左寨，解宝居于右寨，空了中寨。史文恭来后，他们左右双击，还有花荣在后，解珍一钢叉杀死了曾索，大败曾头市军（第68回）。梁山分兵攻打东平府、东昌府，解珍随宋江攻打东平府（第69回）。史进去东平老相识妓女李瑞兰家当细作而下狱，吴用设计让顾大嫂去探听消息。宋江依计故意派解珍和解宝去攻打汶上县，让百姓纷纷去东平府逃难，顾大嫂乘机混进城去（第69回）。

石碣天文载，解珍是三十六员天罡星中的天暴星。排座次时，解珍是步军十头领之一，与解宝守把山前南路第一关（第71回）。燕青由李逵陪同去泰安州与任原相扑。结果与官军打起来，解珍和卢俊义等八将去接应（第74回）。童贯攻打梁山，梁山用九宫八卦阵迎敌，解珍和解宝守护中军（第76回）。童贯二次攻打梁山，吴用布下十面埋伏，解珍和解宝杀的敌军星流云散（第77回）。高俅第三次攻打梁山，解珍和解宝捉了官军闻参谋及歌儿舞女（第80）。

梁山招安后，征辽。在玉田县张清中箭，解珍在董平、史进引领下，救回张清。解珍和解宝、杨林、石勇一度迷踪失路，闯入敌阵，后与卢俊义会合。攻打蓟州，解珍是卢俊义右军三十七首领之一（第84回）。宋江、吴用诈降辽国，解珍扮作百姓，跟随吴用，赚开辽国要塞益津关，占了关口，并与众人攻占文安县（第85回）。攻打幽州，途中中计，卢俊义和解珍率领的十一位首领兵陷青石峪，宋江派他和解宝扮作猎户找寻，到一猎户刘二、刘三家，解珍听到了消息，连夜汇报给宋江。遂由二人引路，直扑青石峪口，大败辽兵，救了卢俊义等（第86回）。辽国统军兀颜光率军进攻幽州，在昌平摆下混天阵，解珍随宋江与众人杀进去，大败（第88回）。昌平失利后，宋江得九天玄女之法，与辽再战，给解珍和其他五员大将的任务是攻辽国中军擒辽主（第89回）。

征田虎，打盖州，吴用命解珍、凌振、解宝带领二百军士携带打小号炮，与其他首领配合日夜惊扰敌人。时迁、石秀在城内放火后，解珍和解宝立刻由飞楼登城。敌将褚亨被解宝一刀搠翻，解珍剁下头来，夺了城门，让徐宁等杀入（第92回）。胜利后，功劳簿上标记解珍的功劳。打下盖州后，又兵分两路击田虎，解珍分拨到宋江一路（第93回）。攻昭德，乔道清用妖术大败宋江，吴用率解珍和王英等六人领兵接应，途中与宋江相遇。后解诊又奉命与张清等四人去卫州接公孙胜破敌（第95回），完成使命后，回到军营（第96回）。

宋江率大军攻襄垣，解珍是三十一将佐之一，与敌交锋中，李逵被敌女将琼英用石子打中，解珍和其他头领出阵接应，结果解珍也被琼英石子击中被俘，押在襄垣城中（第98回）。琼英与张清结婚后，杀死田虎国舅邬梨，占领了襄垣城。放出了解珍和解宝，共同守城御敌（第98回）。田虎率大军救援襄垣，张清让解珍和解宝出城给宋江汇报（第99回）。乘田虎救援襄垣之机，吴用令解珍和张清等九人去敌都威胜，诈称田虎回城。解珍和解宝等扮作田虎部将，赚开城门，捉了田豹、田彪，抢入城来（第100回）。

宋江奉旨攻王庆。攻山南城时，依吴用之计，让水军赚开城西水门。解珍和鲍旭等二十个步军头领潜藏在粮船内，进得城去，杀将起来。攻西京，解珍是卢俊义统领的二十四战将之一（第106回）。杨志等追击敌人。深陷镠筌中，解珍和解宝、邹渊、邹润去寻找，后将杨志等救出山谷。敌人救援西京，解珍和解宝等人守护营寨（第108回）。攻打南丰，在城外布下九宫八卦阵，解珍和解宝守护中军（第109回）。

征方腊，宋江军屯扬州城外。有杨浦村陈将士与江南润州方腊的吕枢密联络图谋扬州。燕青依计扮作吕枢密帐前叶虞候带领解氏兄弟去见陈将士，陈氏父子醉倒后，解珍施放号炮，左右埋伏的头领一起动手杀了陈一家。攻打润州，宋江军扮作敌军渡江，解珍是第三拨船十员正将之一。解珍和李逵、解宝首先抢入城去（第111回）。打下丹徒后，兵分两路，解珍是卢俊义所率领的攻打宣、湖二州的十五员主将之一（第112回）。攻下湖州，卢俊义所部兵分两拨，解珍与卢俊义等二十三将佐攻打独松关（第114回）。

攻下独松关，敌人败走。敌将张俭、张韬奔逃途中被解珍和解宝用钢叉戳翻生擒。二次部署攻打杭州，解珍和解宝劫取了给杭州运送粮食的船只。依吴用计谋，解珍和解宝带领其他十六人藏于船内，或扮作艄公艄婆，混入城内，里应外合（第115回）。阵中，解珍和解宝杀死敌将崔彧。攻下杭州后，兵分两路进击，解珍和其他三十五员将佐随宋江攻睦州和乌龙岭。途中攻桐庐，解珍和解宝等五人领兵由东路去桐庐劫寨。乌龙岭山势险峻，难于攻打，解珍和解宝请战，扮作猎户，上岭放火。二人趁夜往乌龙岭来，爬到三分之二时，天已四更，急切上爬，钢叉挂到竹藤乱响，惊动了敌人，挠钩搭住了解珍的头发，他用腰刀割断了挠钩绳索，自己坠下山去（第116回），后解珍被封忠武郎（第119回）。

解 宝

解宝，人称"双尾蝎"，山东登州城外山下猎户，父母双亡，未曾婚娶。使一只混铁点钢叉，武艺惊人，七尺以上身材，面圆身黑，两只腿上刺两个飞天夜叉。有时兴起，恨不得腾天倒地，拔树摇山。登州城外山上多虎狼，出来伤人，知府限期猎户捕虎。解宝与兄解珍被限三日内捉到老虎。第三日杀死老虎，死虎滚到毛太公园内，兄弟二人去讨虎，却早被毛仲义送县衙请赏。二人反以混赖大虫，乘机抢掳罪被告到县衙，投入监狱。幸得亲戚小节级乐和通风报信给解宝表姐顾大嫂，她又联系了丈夫孙新和邹渊、邹润、孙立、乐和一起劫了牢，救了解氏兄弟。而后杀了毛太公一家，大伙同奔梁山（第49回）。

正值梁山人马攻打祝家庄失利时，恰好祝家庄教师栾廷玉是孙立的师兄弟。孙立献里应外合之计，以拜访老友为名，进了村子，解宝和解珍等人随往。三打祝家庄，解宝在庄里和解珍点火为号，指示宋江人马进攻（第50回）。打下祝家庄后，解宝和哥哥负责把守梁山山前第一关（第51回）。宋江让徐宁破呼延灼的连环马，解宝和解珍引领步军十队中之一队人马（第57回）。解宝和邹润是步军十队中之一队人马的首领（第57回）。

宋江为山寨之主后，让解宝和其他三人把守山前第二关（第60回）。攻打大名府救卢俊义、石秀，解宝和其他三人是第二拨人马。

天哭星雙尾蠍解寶

大战中，他们曾接应李逵，并与众头领围攻李成、索超（第63回）。元宵节里应外合攻打大名府，解宝和解珍扮作猎户，去城内到官府献纳野味。号火起后，在留守司前拦截报事官兵。攻城开始，二人留在留守司前，使梁中书不敢回衙（第66回）。二次攻打曾头市，解宝是随宋江等人攻打正中总寨的副将之一。曾头市史文恭原要来劫寨，吴用让解宝居于右寨，解珍居于左寨，空了中寨。史文恭来后，他们左右双击，还有花荣在后，大败曾头市军（第68回）。梁山分兵攻打东平府、东昌府，解宝随宋江攻打东平府（第69回）。史进去东平老相识妓女李瑞兰家当细作而下狱，吴用设计让顾大嫂去探听消息。宋江依计故意派解宝和解珍去攻打汶上县，让百姓纷纷去东平府逃难，顾大嫂乘机混进城去（第69回）。

石碣天文载，解宝是三十六员天罡星中的天哭星。排座次时，解宝是步军十头领之一，与解珍守把山前南路第一关（第71回）。燕青由李逵陪同去泰安州与任原相扑，结果与官军打起来，解宝和卢俊义等八将去接应（第74回）。童贯攻打梁山，梁山用九宫八卦阵迎敌，解宝和解珍守护中军（第76回）。童贯二次攻打梁山，吴用布下十面埋伏，解宝和解珍杀得敌军星流云散（第77回）。高俅第三次攻打梁山，解宝和解珍捉了官军闻参谋及歌儿舞女（第80回）。

梁山招安后，征辽。在玉田县张清中箭，解宝在董平、史进引领下，救回张清。解宝和解珍、杨林、石勇一度迷踪失路，闯入敌阵，后与卢俊义会合。攻打蓟州，解宝是卢俊义右军三十七首领之一（第84回）。宋江、吴用诈降辽国，解宝扮作百姓，跟随吴用，赚开辽国要塞益津关，占了关口，并与众人攻占文安县（第85回）。攻打幽州，途中中计，卢俊义和解宝率领的十一位首领兵陷青石峪，宋江派他和解珍扮作猎户找寻，到一猎户刘二、刘三家他听到了消息，连夜汇报给宋江。遂由二人引路，直扑青石峪口，大败辽兵，救了卢俊义等

（第86回）。辽国统军兀颜光率军进攻幽州，在昌平摆下混天阵，解宝随宋江与众人杀进去，大败（第88回）。昌平失利后，宋江得九天玄女之法，与辽再战，给解宝和其他五员大将的任务是攻辽国中军擒辽主（第89回）。

征田虎，打盖州，吴用命解宝和凌振、解珍带领二百军士携带打小号炮，与其他首领配合日夜惊扰敌人。时迁、石秀在城内放火后，解宝和解珍立刻由飞楼登城，敌将褚亨被解宝一刀搠翻，解珍剁下头来，夺了城门，让徐宁等杀入（第92回）。胜利后，功劳簿上标记解宝的功劳。打下盖州后，又兵分两路击田虎，解宝分拨到宋江一路（第93回）。攻昭德，乔道清用妖术大败宋江，吴用率解宝和王英等六人领兵接应。途中与宋江相遇，后又奉命与张清等四人去卫州接公孙胜破敌（第95回）。完成使命后，回到军营（第96回）。宋江率大军攻襄垣，解宝是三十一将佐之一，与敌交锋中，李逵被敌女将琼英用石子打中，他和其他头领出阵接应。后来，解珍也被石子击伤，解宝扶着哥哥，不便厮杀，结果双双被俘。琼英与张清结婚后，杀死田虎国舅邬梨，占领了襄垣城，放出了解宝和解珍，共同守城御敌（第98回）。田虎率大军救援襄垣，张清让解宝和解珍出城给宋江汇报（第99回）。乘田虎救援襄垣之机，吴用令解珍、张清等九人去敌都威胜，诈称田虎回城，解宝和解珍等扮作田虎部将，赚开城门，捉了田豹、田彪，抢入城去（第100回）。

宋江奉旨攻王庆。攻山南城时，依吴用之计，让水军赚开城西水门。解宝和鲍旭等二十个步军头领潜藏在粮船内，进得城去，杀上岸去（第106回）。杨志等追击敌人，深陷穆䆥中，解宝和解珍、邹渊、邹润去寻找，后将杨志等救出山谷。敌人救援西京，解宝和解珍等人守护营寨（第108回）。攻打南丰，在城外布下九宫八卦阵，解宝和解珍守护中军（第109回）。

征方腊，宋江军屯扬州城外。有杨浦村陈将士与江南润州方腊的吕枢密联络图谋扬州。燕青依计扮作吕枢密帐前叶虞候带领解氏兄弟去见陈将士，解宝下了蒙汗药，陈氏父子醉倒后，被他和燕青杀死。攻打润州，宋江军扮作敌军渡江，解宝是第三拨船十员正将之一，他和李逵、解珍首先抢入城去（第111回）。打下丹徒后，兵分两路，解宝是卢俊义所率领的攻打宣、湖二州的十五员主将之一（第112回）。攻下湖州，卢俊义所部兵分两拨，解宝与卢俊义等二十三将佐攻打独松关（第114回）。

攻下独松关，敌人败走，敌将张俭、张韬奔逃途中被解宝和解珍用钢叉戳翻生擒。二次部署攻打杭州，解宝和解珍劫取了给杭州运送粮食的船只。依吴用计谋，解宝和解珍带领其他十六人藏于船内，或扮作艄公艄婆，混入城内，里应外合（第115回）。阵中，解宝和解珍杀死敌将崔彧。攻下杭州后，兵分两路进击。解宝和其他三十五员将佐随宋江攻睦州和乌龙岭。途中攻桐庐，解宝和解珍等五人领兵由东路去桐庐劫寨。乌龙山势险峻，难于攻打。解宝和解珍请战，扮作猎户，上岭放火。二人趁夜往乌龙岭来，爬到三分之二时，天已四更，急切上爬，钢叉挂到竹藤乱响，惊动了敌人，挠钩搭住了解珍的头发。解珍用腰刀割断了挠钩绳索，坠下深谷。解宝急忙退步下岭，岭上滚下大小石块，弓弩齐发，他被射身亡（第116回），后封忠武郎（第119回）。

乐 和

乐和，人称"铁叫子"，祖籍茅州，先祖携家至登州。善歌，诸般乐品，无不知晓，一学即会，故得绰号。登州府里小节级。做事见头知尾，喜爱枪棒武艺。是登州府提辖孙立的妻舅，跟孙立学了几路枪法。猎户解珍、解宝杀死了老虎，死虎滚到毛太公园内。兄弟二人去讨虎，却早被毛仲义送县衙请赏。二人反以混赖大虫，乘机抢掳罪被告到县衙，投入监狱。幸得乐和和解氏兄弟沾亲带故告诉了解珍表姐顾大嫂，她又联络了丈夫孙新和邹渊、邹润、孙立、乐和一起劫了牢，救了解氏兄弟。而后杀了毛太公一家，大伙同奔梁山（第49回）。

正值梁山人马攻打祝家庄失利时，恰好祝家庄教师栾廷玉是孙立的师兄弟。孙立献里应外合之计，以拜访老友为名，进了村子。乐和与解氏兄弟等人随往。三打祝家庄，见孙新把旗帜插在祝家庄门楼上，乐和便唱起来，邹渊叔侄听到后，便按约定信号打开牢门放出梁山七名被囚好汉（第50回）。打下祝家庄后，乐和帮助朱贵去开酒店（第51回）。梁山要破呼延灼的连环马，汤隆建议，只有诱其表哥徐宁上山。乐和扮作赶车的，化名李荣，汤隆、时迁设计把徐宁骗出后，他又配合二人，将徐宁用麻药酒放翻，送上梁山（第56）。

宋江为山寨之主后，乐和仍随朱贵开酒店（第60）。元宵节里应外合攻大名府，乐和和柴进扮作公人去牢狱节级蔡福家，让蔡福带他

地樂星鐵叫子樂和

们去牢里保护身陷囹圄的卢俊义、石秀。后乐和和柴进等救了卢俊义、石秀（第66回）。大名陷落后，蔡京又推举凌州团练使单廷珪、魏定国攻打梁山。李逵请缨出征，宋江不许，只身深夜出走。宋江派乐和和其他三人寻找（第67回）。

石碣天文记载，乐和是七十二员地煞星中的地乐星。排座次时，乐和是四军中走报机密步军头领之一（第71）。梁山泊重阳菊花会上，乐和唱了宋江即席作的《满江红》（第71回）。高俅第三次攻打梁山被俘，宋江放了高俅，让乐和陪萧让随高俅去东京见皇帝，面陈衷曲（第80回）。去东京后，乐和和萧让被软禁于高俅府内，后由燕青、戴宗接应，他和萧让逃出，回到梁山（第81回）。宿太尉奉旨到梁山招安，住在济州。吴用和乐和及朱武、萧让奉命先行去济州接洽，又和朱武负责款待宿太尉手下亲随（第82回）。

招安后，奉旨征辽。攻下檀州后，乐和与二十二为首领随赵安抚守御（第84回）。辽降后，宋江带众人去五台山参禅，留乐和和其他三人同副先锋卢俊义掌管军马，陆续班师（第89回）。

征田虎，打下盖州，正奉宣和五年元旦下起大雪，萧让对雪发了一篇议论，说到雪片的名色，乐和就用袖子承接雪花，验证萧让论点。宋江兵分两路，合击田虎，乐和分到宋江一路（第93回）。宋江北攻襄垣，乐和是三十一将佐之一，阵中，鲁智深失踪，宋江令乐和和段景住等四人四处寻找（第98回）。乘田虎救援襄垣之机，吴用令乐和和张清等九人去敌都威胜，诈称田虎回城，赚开城门，捉了田豹、田彪，他和段景住抢入城去，夺了南门，竖起宋军旗号（第100回）。

宋江奉旨征王庆，大胜后，班师回京。元宵节乐和和时迁进城戏耍，后乐和被王督尉留在府内听用（第110回）。尽老清闲，终身快乐（第120回）。

顾大嫂

顾大嫂，人称"母大虫"，登州人。在城东门外十里牌开酒店，又杀牛开赌。有一身本事，三二十人近不得她，丈夫孙新敌不过她。解珍、解宝是顾大嫂表弟。解珍、解宝杀死了老虎，死虎滚到毛太公园内，兄弟二人去讨虎，却早被毛仲义送县衙请赏。二人反以混赖大虫，乘机抢掳罪被告到县衙，投入监狱。幸得监狱小节级乐和将解氏兄弟事告诉了顾大嫂，她又联络了丈夫孙新和邹渊、邹润、孙立、乐和一起劫了牢，救了解氏兄弟。而后杀了毛太公一家，大伙同奔梁山（第49回）。

正值梁山人马攻打祝家庄失利时，恰好祝家庄教师栾廷玉是孙立的师兄弟。孙立献里应外合之计，以拜访老友为名，进了村子，顾大嫂和丈夫孙新、乐和、解氏兄弟等人随往。三打祝家庄，顾大嫂手持双刀，杀了祝朝奉一家（第50回）。打下祝家庄后，顾大嫂和丈夫孙新代童威、童猛管理酒店（第51回）。呼延灼攻打梁山，酒店被毁，顾大嫂和丈夫逃归梁山（第55回）。呼延灼连环马被打败后，又回到酒店（第57回）。宋江为山寨之主后，顾大嫂夫妇的职事未变（第60回）。攻打大名府救卢俊义、石秀，顾大嫂是第三拨人马扈三娘两个副将之一，并与众头领围攻李成、索超（第63回）。元宵节里应外合攻大名府，顾大嫂和丈夫孙新、王英、扈三娘、张青、孙二娘三对夫

地阴星母大虫顾大嫂

妻扮作乡下人入城观灯,到卢俊义家放火。攻城开始,顾大嫂和其丈夫孙新配合邹渊、邹润在西门放火(第66回)。梁山兵马攻打东昌府、东平府,顾大嫂随宋江攻打东平府。史进去东平老相识妓女李瑞兰家当细作而下狱,吴用设计让顾大嫂去探听消息。宋江依计故意派解珍、解宝去攻打汶上县,让百姓纷纷去东平府逃难,顾大嫂乘机混进城去,得知史进果然被捉下狱,于是假作史进是她过去主人,前来送饭报德,见了史进,通了消息(第69回)。

石碣天文载,顾大嫂是七十二员地煞星中的地阴星。排座次时,顾大嫂和孙新开东山酒店(第71回)。童贯率官军攻打梁山泊,梁山泊以九宫八卦阵对敌,顾大嫂是中军后阵头领之一(第76回)。高俅二打梁山失败后,宋徽宗下令招安。吴用怕有阴谋,差顾大嫂和孙新、王英、扈三娘、张青、孙二娘带马军一千埋伏济州西路,听得连珠炮响,杀奔北门与东门人马取齐(第79回)。高俅大造战船,准备第三次攻打梁山,顾大嫂和孙二娘受命扮作给民夫送饭的农妇,潜入船厂放火(第80回)。

梁山招安后,奉旨征辽,攻下檀州,顾大嫂随赵安抚与其他二十二位首领守御(第84回)。昌平失利后,宋江得九天玄女之法,与辽再战,顾大嫂是攻辽国太阴右军的七大将之一,与扈三娘、孙二娘阵内杀散了女兵(第89回)。

征田虎,打下盖州后,又兵分两路击田虎,顾大嫂分拨到宋江一路(第93回)。攻昭德,乔道清用妖术大败宋江,吴用率顾大嫂和王英等六人领兵接应,途中与宋江相遇(第95回)。公孙胜初破妖术后,宋江、公孙胜率顾大嫂和林冲等七人领兵追击,大胜,收兵回寨(第96回)。宋江率大军北攻襄垣,顾大嫂和孙新及王英夫妇奉命先行哨探北军虚实,阵中扈三娘出马与琼英交锋,被对方石子击中右手腕,拨马回阵,被顾大嫂和孙新保护退走(第98回)。田虎援襄垣,宋江率吴用和顾大嫂等八人统军，途中拒敌（第100回）。

征王庆，攻南丰，在城外顾大嫂和扈三娘、孙二娘领兵与敌交锋，诈败诱敌深入。王庆突围，顾大嫂和张青等八人拦住厮杀（第109回）。

征方腊，打下丹徒后，兵分两路，顾大嫂是卢俊义率领下攻打宣、湖二州的三十二员偏将之一（第112回）。攻下湖州后，兵分两拨，顾大嫂与卢俊义等二十三人攻独松关（第114回）。攻杭州，顾大嫂和孙新等四人去东门寨，帮助朱仝等攻打菜市、荐桥等门。解珍、解宝劫取了给杭州运送粮食的船只，顾大嫂和孙新及王英、张青夫妇扮作艄公艄婆，混入城内，里应外合（第115回），阵中她和孙二娘、扈三娘一起生擒了敌将张道原。攻下杭州后，兵分两路进击，顾大嫂和其他二十七员将佐随卢俊义攻歙州和昱岭关（第116回）。

征方腊后，班师回京，封为东源县君（第119回）。顾大嫂随孙立、孙新回登州任职（第120回）。

孙 新

孙新，人称"小尉迟"，祖籍琼州人，军官子孙，因调来登州驻扎，遂与哥哥以登州为家。孙新身长力壮，学得哥哥本事。使得几路好鞭枪，人多把孙新兄弟比作尉迟恭，因得绰号。和妻子顾大嫂在城外十里牌开酒店，杀牛开赌。表弟解珍、解宝杀死了老虎，死虎滚到毛太公园内。兄弟二人去讨虎，却早被毛仲义送县衙请赏。二人反以混赖大虫，乘机抢掳罪被告到县衙，投入监狱。幸得监狱小节级乐和将解氏兄弟事告诉了顾大嫂，顾大嫂又联络了他和邹渊、邹润、孙立、乐和一起劫了牢，救了解氏兄弟，之后杀了毛太公一家，大伙同奔梁山（第49回）。

正值梁山人马攻打祝家庄失利时，恰好祝家庄教师栾廷玉是孙立的师兄弟，孙立献里应外合之计，以拜访老友为名，进了村子，孙新与其他人随往。三打祝家庄，孙新把孙立大旗立在祝家庄门楼上。手持双刀，杀了祝朝奉一家（第50回）。打下祝家庄，孙新和妻子代童威、童猛管理酒店（第51回）。呼延灼攻打梁山，酒店被毁，孙新和妻子逃归梁山，中箭受伤（第55回）。呼延灼连环马被打败，他们又回到酒店（第57回）。宋江为山寨之主后，孙新夫妇的职事未变（第60回）。攻打大名府救卢俊义、石秀，孙新是第四拨人马主将李应的两个副将之一（第63回）。元宵节里应外合攻大名府，孙新和柴进扮

地数星小尉迟孙新

作公人去牢狱节级蔡福家，让蔡福带他们去牢里保护身陷囹圄的卢俊义、石秀。后孙新和妻子孙新、王英、扈三娘、张青、孙二娘三对夫妻扮作乡下人入城观灯，到卢俊义家放火。攻城开始，孙新和妻子顾大嫂配合邹渊、邹润在西门放火（第66回）。梁山兵马攻打东昌府、东平府，他随宋江攻打东平府（第69回）。

石碣天文载，孙新是七十二员地煞星中的地数星。排座次时，孙新和顾大嫂开东山酒店（第71回）。童贯率官军攻打梁山泊，梁山泊以九宫八卦阵对敌，孙新是中军后阵头领之一（第76回）。高俅二打梁山失败后，宋徽宗下令招安。吴用怕有阴谋，差孙新和顾大嫂、王英、扈三娘、张青、孙二娘带马军一千埋伏济州西路，听得连珠炮响，杀奔北门与东门人马取齐（第79回）。高俅大造战船，准备第三次攻打梁山。孙新和张青受命扮作民夫，潜入船厂放火（第80回）。

梁山招安后，奉旨征辽，攻下檀州，孙新随赵安抚与其他二十二位首领守御（第84回）。昌平失利后，宋江得九天玄女之法，与辽再战，孙新是攻辽国太阴右军的七大将之一。扈三娘等攻入敌阵，孙新和张青、蔡庆等在外夹攻（第89回）。

征田虎，打盖州，孙新和花荣等人为游骑，往来四门探听（第92回）。打下盖州后，又兵分两路击田虎，孙新分拨到宋江一路（第93回）。攻昭德，乔道清用妖术大败宋江，吴用率孙新和王英等六人领兵接应，途中与宋江相遇（第95回）。公孙胜初破妖术后，孙新奉命与王英领兵驰往西门，截住乔道清去路，果然截住了敌人。公孙胜等领兵赶来，让孙新回寨休息（第96回）。宋江率大军北攻襄垣，孙新和顾大嫂及王英夫妇奉命先行哨探北军虚实，阵中被敌女将琼英石子击中头盔，急忙退回（第98回）。田虎援襄垣，宋江率吴用和孙新等八人统军，途中拒敌（第100回）。

征王庆，攻南丰，在城外孙新和王英、张青从山南一路杀出，诈败，诱敌深入。王庆突围，孙新和张青等八人拦住厮杀（第109回）。

征方腊，打下丹徒后，兵分两路，孙新是卢俊义率领下攻打宣、湖二州的三十二员偏将之一（第112回）。攻下湖州后，兵分两拨，孙新与卢俊义等二十三人攻独松关（第114回）。孙新和顾大嫂扮成逃难百姓，到深山里寻找一条小路，二人引领李云等四人黑夜摸上关去，放起火来，夺了关隘。夫妇二人生擒了敌将吴升。攻杭州，孙新和顾大嫂及张青夫妇等四人去东门寨，帮助朱仝等攻打菜市、荐桥等门。解珍、解宝劫取了给杭州运送粮食的船只，孙新和顾大嫂及王英、张青夫妇扮作艄公艄婆，混入城内，里应外合（第115回）。攻下杭州后，兵分两路进击，孙新和其他二十七员将佐随卢俊义攻歙州和昱岭关（第116回）。

征方腊后，班师回京，官授武奕郎、都统领（第119回）。孙新和妻子随孙立回登州任职（第120回）。

邹 渊

邹渊，人称"出林龙"，原莱州人，邹润叔父。邹渊好赌钱，闲汉出身，一身好武艺，为人忠良慷慨，性气高强，不肯容人。在登云山台峪里聚众打劫，和杨林、邓飞、石勇为友，与孙新也是朋友。孙新邀邹渊劫牢救解珍、解宝，事成后，一起上了梁山（第49回）。

正值梁山人马攻打祝家庄失利时，恰好祝家庄教师栾廷玉是孙立的师兄弟，孙立献里应外合之计，以拜访老友为名，进了村子。邹渊与其他人随往，扮作登州伴随孙立的军官。三打祝家庄，邹渊与邹润杀死牢子，放出杨林、秦明等七位好汉（第50回）。

上山后，与邹润把守鸭嘴滩小寨（第51回）。宋江让徐宁破呼延灼的连环马，邹渊和邹润是十队步军中之一队的首领（第57回）。

宋江为山寨之主后，让邹渊和其他三人把守鸭嘴滩小寨（第60回）。利用元宵灯节攻打大名府，救卢俊义、石秀；邹渊和邹润扮作卖灯客人进城，见号火起时，便到司狱司前策应。攻城开始，邹渊和邹润在西门内，用竹竿在房檐下放火，又跟随卢俊义去家里捉拿管家李固和卢俊义妻子贾氏（第66回）。二打曾头市，邹渊是攻打正西大寨的步军副将之一（第68回）。

石碣天文载，邹渊是七十二地煞星中的地短星。排座次时，邹渊是十七员步军将校之一（第71回）。

地短星出林龙邹渊

梁山招安后，奉旨征辽，在玉田县张清中箭，邹渊和邹润奉卢俊义之命送张清回檀州安道全处医治。攻蓟州，邹渊是卢俊义右军三十七头领之一（第84回）。攻打幽州，途中中计，卢俊义率领邹渊和其他十一位首领兵陷青石峪，由宋江一路人马救出，后回蓟州暂歇（第86回）。

昌平失利后，宋江得九天玄女之法，与辽再战，邹渊是呼延灼辖下攻辽国火星阵左右撞破红旗军七门的七副将之一（第89回）。征田虎，打下盖州后，又兵分两路击田虎，邹渊分拨到卢俊义一路（第93回）。汾阳大战，邹渊被马灵的妖术打伤（第99回）。攻破敌都威胜后，邹渊和杨林等七人从前面杀入宫去（第100回）

宋江奉旨攻王庆。攻山南城时，依吴用之计，张横等水军头领以粮船为饵，诱敌打开城西水门劫掠。张横等乘机在水下，将伏有邹渊和鲍旭等二十个步军头领的船只推入城去，杀上岸去。攻西京，邹渊是卢俊义统领的二十四员战将之一（第106回）。杨志等追击敌人，深陷氅錔中，邹渊和邹润、解珍、解宝去寻找，后将杨志等救出山谷（第108回）。

征方腊，宋江军扮作敌军渡江，邹渊是第一拨船上穆弘身边十偏将之一（第111回）。征方腊，打下丹徒后，兵分两路，邹渊是卢俊义率领下攻打宣、湖二州的三十二偏将之一（第112回）。

攻下湖州后，兵分两拨，邹渊与卢俊义等二十三人攻独松关（第114回）。围杭州，邹渊与花荣等十四员正偏将攻打艮山门。解珍、解宝劫取了给杭州运送粮食的船只，邹渊和解氏兄弟等十八人杂于船内，或扮作艄公艄婆，混入城内，里应外合（第115回）。

攻下杭州后，兵分两路进击。邹渊和其他二十七员将佐随卢俊义攻歙州和昱岭关（第116回）。攻下歙州，方腊的王尚书弃城而走，途中杀死了李云、石勇。邹渊和孙立四人从城中追出，又遇到林冲，五人合击，杀了王尚书。宋江军攻入兰溪县，杀进方腊宫，阵中邹渊被马军踏死（第118回），后封义节郎（第119回）。

邹 润

邹润，人称"独角龙"，原莱州人。邹渊侄，好赌钱，闲汉出身，年纪与邹渊仿佛。他身材高大，天生一等异相，脑后一个肉瘤，故得绰号。他与人争闹兴起，一头撞折一棵松树。与叔叔在登云山台峪里聚众打劫。应孙新之邀随叔叔劫牢救解珍、解宝，事成后，一起上了梁山（第49回）；途中在酒店与石勇相见，并知道杨林、邓飞被祝家庄捉去。恰好祝家庄教师栾廷玉是孙立的师兄弟，孙立献里应外合之计。以拜访老友为名，进了村子，邹润与其他人随往，扮作登州伴随孙立的军官。三打祝家庄，邹润与邹渊杀死牢子，放出杨林、秦明等七位好汉（第50回）。上山后，邹润与邹渊把守鸭嘴滩小寨（第51回）。

宋江让徐宁破呼延灼的连环马，邹润和邹渊是十队步军中之一队的首领（第57回）。宋江为山寨之主后，让邹润和其他三人把守鸭嘴滩小寨（第60回）。利用元宵灯节攻打大名府，救卢俊义、石秀，邹润和邹渊扮作卖灯客人进城，见号火起时，便到司狱司前策应。攻城开始，邹润和邹渊在西门内，用竹竿在房檐下放火，又跟随卢俊义去家里捉拿管家李固和卢俊义妻子贾氏（第66回）。二打曾头市，邹润是攻打正西大寨的步军副将之一（第68回）。

石碣天文载，邹润是七十二员地煞星中的地角星。排座次时，邹

地角星独角龙邹润

润是十七员步军将校之一（第71回）。

梁山招安后，奉旨征辽，在玉田县张清中箭，邹润和邹渊奉卢俊义之命送张清回檀州安道全处医治。攻蓟州，邹润是卢俊义右军三十七头领之一（第84回）。攻打幽州，途中中计，卢俊义率领邹润和其他十一位首领兵陷青石峪，由宋江一路人马救出后，回蓟州暂歇（第86回）。昌平失利后，宋江得九天玄女之法，与辽再战，邹润是呼延灼辖下攻辽国火星阵左右撞破红旗军七门的七副将之一（第89回）。

征田虎，打下盖州后，又兵分两路击田虎，邹润分拨到卢俊义一路（第93回）。汾阳大战，邹润被马灵的妖术打伤（第99回）。攻破敌都威胜后，邹润和杨林等七人从前面杀入宫去（第100回）。

宋江奉旨攻王庆。攻山南城时，依吴用之计，张横等水军头领以粮船为饵，诱敌打开城西水门劫掠。张横等乘机在水下，将伏有邹润和鲍旭等二十个步军头领的船只推入城去，杀上岸去。攻西京，邹润是卢俊义统领的二十四员战将之一（第106回），杨志等追击敌人，深陷髎谾中，邹润和邹渊、解珍、解宝去寻找，后将杨志等救出山谷（第108回）。

征方腊，宋江军扮作敌军渡江，邹润是第一拨船上穆弘身边十偏将之一（第111回）。征方腊，打下丹徒后，兵分两路，邹润是卢俊义率领下攻打宣、湖二州的三十二偏将之一（第112回）。攻下湖州后，兵分两拨，邹润与卢俊义等二十三人攻打独松关（第114回）。

围杭州，邹润与花荣等十四员正偏将攻打艮山门。解珍、解宝劫取了给杭州运送粮食的船只，邹润和解氏兄弟等十八人杂于船内，或扮作艄公艄婆，混入城去，里应外合（第115回）。攻下杭州后，兵分两路进击，邹润和其他二十七员将佐随卢俊义攻歙州和昱岭关（第116回）。攻下歙州，方腊的王尚书弃城而走，途中杀死了李云、石勇。邹润和孙立四人从城中追出，又遇到林冲，五人合击，杀了王尚书（第118回）。

　　胜方腊后，班师回京，官授武奕郎、都统领（第119回）。邹润不愿为官，又回登州登云山（第120回）。

孙 立

孙立，祖籍琼州人，军官子孙，因调来登州驻扎，遂与弟弟孙新以登州为家。任登州提辖，人多把他兄弟比作尉迟恭。孙立淡黄面皮，络腮胡须，八尺以上身材，人称"病尉迟"。他射得硬弓，骑得劣马，使一管长枪，腕上悬一条虎眼竹节钢鞭，海边人见了，望风而降。表弟解珍、解宝杀死了老虎，死虎滚到毛太公园内。兄弟二人去讨虎，却早被毛仲义送县衙请赏，二人反以混赖大虫，乘机抢掳罪被告到县衙，投入监狱。幸得监狱小节级乐和将解氏兄弟事告诉了顾大嫂，顾大嫂准备劫牢，以顾大嫂病重有话嘱托为由，骗来孙立，后共同劫牢，救了解氏兄弟，而后孙立和大伙同奔梁山（第49回）。

途中在石勇酒店里，孙立知道梁山人马攻打祝家庄失利，恰好祝家庄教师栾廷玉是他的师兄弟，于是献计，假托由登州调来郓州把守，以顺道拜访老友为名，进到村子，里应外合。石勇向吴用转达了孙立的计策，吴用大喜。孙立等又拜见了宋江，依计而行，带了孙新等人随往，进得祝家庄，见了栾廷玉及祝氏三杰、祝朝奉，又假作拿了石秀，关进牢内。梁山人马四路攻祝家庄，祝氏兄弟及栾廷玉也分四路迎战，庄内空虚。孙立见机行事，里应外合夺取了祝家庄（第50回）。上梁山后，孙立与其他七人分调大寨八面安歇（第52回）。攻打高唐州救柴进，孙立是十二先锋之一，败于知府高廉的

地勇星病尉迟孙立

妖法（第54回）。

呼延灼攻打梁山，宋江布置迎敌，孙立打第五阵，配合一丈青生擒彭玘（第55回）。宋江让徐宁破呼延灼的连环马，孙立和其他五位头领分别统领马军搠战（第57回）。攻打青州，孙立是后军四头领之一。呼延灼同意上梁山后，孙立又扮作青州军士随呼延灼赚开城门，攻下青州（第58回）。公孙胜破樊瑞，孙立是守阵的八员猛将之一。攻打曾头市，孙立是晁盖点的二十个头领之一。宋江为山寨之主后，任孙立为后军寨内第二位首领（第60回）。攻打大名府救卢俊义、石秀，孙立是簇帐头领四将之一（第63回）。

元宵节里应外合攻大名府，孙立是八路军马中第三队在后策应头领。李成保着梁中书出城后，孙立和关胜等拦击（第66回）。单廷珪、魏定国攻打梁山，关胜请缨出征，吴用对之有戒心，又让孙立和黄信作为林冲、杨志的副将，共同监督关胜，并相机策应（第67回）。攻打东昌府失利，吴用从梁山调孙立和其他四人依计在水上捉了东昌府张清（第70回）。

石碣天文载，孙立是七十二员地煞星中的地勇星。排座次时，孙立是十六员马军小彪将兼远探出哨头领之一。孙立和其他四人住在梁山第二坡左一代房内（第71回）。童贯率官军攻打梁山泊，梁山泊以九宫八卦阵对敌，孙立是八阵中西壁人马右手副将（第76回）。

梁山招安后，奉旨征辽，攻蓟州，孙立是宋江左军四十八头领之一（第84回）。辽国统军兀颜光亲率大军夺幽州，孙立与辽将寇镇远战，杀死了寇，宋江纵军掩杀，大胜（第87回）。昌平失利后，宋江得九天玄女之法，与辽再战，孙立是林冲辖下攻辽国木星阵左右撞破青旗军七门的七副将之一（第89回）。

征田虎，孙立是后队十六小彪将之一。攻陵川，孙立与花荣等十人为马军头领。与黄信在陵川城东五里埋伏。后见南门竖立了军旗，遂出战。攻打盖州，孙立又与花荣等四人做先锋（第91回），首先与北军将领方琼拼杀，马眼被敌将张翔射中，只好下马步战。花荣将方琼射下马来，孙立一枪将方琼刺死，后换马大战，四先锋大败北兵，又险些被围，由董平、黄信等两翼军马解围（第92回）。打下盖州后，又兵分两路击田虎，孙立分拨到宋江一路（第93回）。从东路进军，孙立和朱仝等八人是后队首领。攻壶关，敌守将唐斌准备献关，以宋江营寨鸣炮为号。宋江、吴用担心有诈，命孙立和朱仝等五人领兵潜往营后，以备不虞。攻下壶关后，孙立与朱仝等五人镇守（第94回）。陈安抚领旨劳军，监督军马。宋江申呈陈安抚举荐降将金鼎、黄钺镇守壶关，换回孙立和朱仝等人（第98回），后到昭德宋江处（第99回）。田虎援襄垣，宋江部署迎敌，孙立与马麟先行（第100回）。

宋江军马奉旨征王庆，攻宛州，孙立与关胜等人驻扎宛州之东，以拒南来救援之敌（第105回）。攻山南城，兵分三路，孙立与黄信等十四人为后队。攻西京，孙立是卢俊义统领的二十四员战将之一（第106回）。攻荆南纪山，初战不利，吴用拟智取，孙立和黄信等四人领兵留于寨内。听号炮响后，从东路抄到军前，拦击敌军（第107回）。敌人来援西京，卢俊义令孙立和朱武等七人领兵马列阵大寨前，防城中敌人突围（第108回）。攻打南丰，在城外布下九宫八卦阵，其中一阵主将是林冲，黄信和孙立分列左右（第109回）。

征方腊，打下丹徒后，兵分两路，孙立是宋江所率领的攻打常、苏二州的二十九员偏将之一。孙立在关胜带领下与其他九战将先行，直逼常州城下，与敌将范畴交锋。攻下常州后，敌人反扑，孙立与关胜等十人迎敌（第112回）。在无锡、苏州间与敌大战，孙立与关胜八人迎敌。孙立与敌将甄诚交锋。攻苏州，孙立用鞭打死敌将张威（第113回）。攻打杭州，来到临平山，花荣、秦明首先出战，回来后，向宋江报告情况。宋江遂带孙立和朱仝等四人到了阵前，宋江兵分三路进攻杭州，孙立是中路第二队由宋江率领的十七将领之一，攻北关门、艮山门（第114回）。二次部署攻打杭州，孙立和花荣等十四名正偏将攻打艮山门（第115回）。破杭州后，兵分两路，孙立和其他二十七位将佐随卢俊义攻打歙州和昱岭关（第116回）。攻昱岭关，用朱武之计，火烧山林，使敌人伏兵无法施展，又让时迁在山后放火，攻下昱岭关。孙立生擒敌将雷炯。攻下歙州，方腊的王尚书弃城而走，途中杀死了李云、石勇。孙立和邹润四人从城中追出，又遇到林冲，五人合击，杀了王尚书（第118回）。

征方腊后，班师回京，孙立官授武奕郎、都统领（第119回），他带孙新、顾大嫂仍回登州任职（第120回）。

汤　隆

汤隆，人称"金钱豹子"，祖代打造军器为生，父亲原是延安府知寨官，因会打铁，受到老种经略赏识，帐前叙用。父死后，汤隆贪赌，流落江湖，在武冈镇打铁度日。汤隆自幼好使枪棒，善耍三十斤铁锤；七尺以上身材，浑身有麻点，因此得此绰号。在武冈镇耍铁锤时，为李逵撞见。李逵自试一回，汤隆拜服，遂拜李逵为兄，随李逵上了梁山（第54回）。

呼延灼用连环马攻打梁山，汤隆推荐一人能破连环甲马（第55回），他说先朝曾用连环甲马取胜，要破它，需要钩镰枪，他祖传有画样，但会造不会用，只有请他表哥徐宁来才行。要让徐宁来，就要把他的镇家之宝"赛唐猊"金甲盗来，汤隆又秘密给宋江说了诱使徐宁上山的计划。吴用让时迁盗来金甲，汤隆又帮助徐宁追赶，步步诱入圈套，最后，由化名李荣的乐和用麻药酒把徐宁放翻，送到朱贵酒店，又转到梁山。徐宁醒来，汤隆说明原委，徐宁上山落草。后汤隆和戴宗又去徐宁家中对徐宁妻子诈称雁翎锁子甲已经得到，徐宁于途中客店病危，骗徐宁家属上山（第56回）。徐宁破呼延灼连环马时，汤隆和凌振专放号炮子母炮，风威大作，呼延灼兵马自乱（第57回）。攻下青州后，汤隆做铁匠总管（第58回）。宋江为山寨之主后，汤隆仍做铁匠总管（第60回）。

地孤星金錢豹子湯隆

石碣天文载，汤隆是七十二员地煞星中的地孤星。排座次时，汤隆是十六员掌管监造诸事头领之一，负责监督打造一应军器铁甲（第71回）。高俅第三次攻打梁山，汤隆是水军十头领之一，和李云、杜兴一起杀了官军将领叶春、王瑾（第80回）。

梁山招安后，奉旨征辽，攻蓟州，汤隆是宋江左军四十八头领之一（第84回）。昌平失利后，宋江得九天玄女之法，与辽再战，汤隆是攻辽国太阳左军阵的七战将之一（第89回）。

打下盖州后，又兵分两路击田虎，汤隆分拨到宋江一路（第93回）。从东路进军，汤隆与孙立等八人为后队首领（第94回）。攻昭德，李逵被俘，宋江率汤隆和林冲等十将领救李逵，结果被乔道清妖术打败，汤隆和林冲等七人紧紧护卫宋江（第95回）。公孙胜破妖法后，宋江、公孙胜率汤隆和林冲等七人领兵追击，大胜，收兵回寨（第96回）。奉命与索超等七人统兵攻取了潞城县。汤隆杀入西门，与唐斌夺了城池（第98回）。又与关胜、李俊等两支人马攻取了榆社，由汤隆与索超镇守（第99回）。敌将房学度包围了榆社。关胜、秦明等七人来援，内外夹击，杀了房学度（第100回）。

宋江军奉旨征王庆，攻宛州时，汤隆与李云、陶宗旺监造攻城器械（第105回）。

征方腊，宋江军扮成敌兵，渡江取润州。汤隆是第二拨船上张顺管领的四偏将之一（第111回）。

征方腊，打下丹徒后，兵分两路，汤隆是卢俊义率领的攻打宣、湖二州的三十二偏将之一（第112回）。攻下湖州，兵分两拨，汤隆与卢俊义等二十三人攻独松关（第114回）。汤隆和李立等四人由孙新夫妇引领从小路黑夜摸上山去，放起火来，夺了关隘。并和李立活捉了敌将蒋印。二次部署攻打杭州，汤隆和花荣等十四名正偏将攻打艮山门（第115回）。破杭州后，兵分两路，汤隆和其他二十七位将佐随卢俊义攻打歙州和昱岭关（第116回）。攻歙州，敌人夜间劫寨。朱武早有准备布置，敌军中计。敌将庞万春逃跑时，被汤隆用钩镰枪拖倒马脚俘虏。攻方腊都城清溪，汤隆受重伤，医治无效而死（第118回），后封义节郎（第119回）。

呼延灼

呼延灼，人称"双鞭"（第55回），河东名将呼延赞嫡系子孙（第54回）。他使一条水磨八棱钢鞭，左重十二斤，右重十三斤（第55回），有万夫不当之勇。呼延灼官拜汝宁府都统制，手下多精兵良将。梁山军马攻下高唐州后，高太尉申奏呼延灼任兵马指挥使，攻打梁山。道君皇帝赐踢雪乌骓马一匹，日行千里。呼延灼又保举韩滔、彭玘二人为副将（第54回）。韩滔做先锋，彭玘做副先锋，三人率军攻打梁山。曾与林冲、花荣、扈三娘、孙立交手，丢了彭玘，但用连环马大败梁山军马，皇帝派天使行赏。梁山四面是水，难于攻打，呼延灼又请派凌振来用炮轰，凌振又被梁山捉去（第55回）。

后徐宁要用钩镰枪破呼延灼的连环马，宋江布兵诱使他和韩滔进攻，结果中计，连环马被埋伏于芦苇丛深处的钩镰枪放倒，损兵折将，韩滔被俘。呼延灼不敢回京，只好去投青州慕容知府，途中宿一酒店，御赐坐骑又被桃花山的李忠、周通人马盗去。到了青州，慕容让呼延灼剿灭桃花山、二龙山、白虎山三伙强人。三日后，与李忠、周通交锋，二人败走，写信求救于二龙山。鲁智深、杨志、武松来援，与呼延灼交手，不分胜负。此时传来白虎山孔明、孔亮要来青州借粮消息，慕容怕府库有失，令呼延灼连夜速返青州。与孔明、孔亮交手，生擒孔明，孔亮败走（第57回）。桃花山、二龙山、白虎山、

天威星雙鞭呼延灼

梁山合力攻打青州。呼延灼与秦明大战，不分胜负。有军校报告有三人在城北门外土坡上看城，呼延灼知道这是宋江、吴用等，于是出城捉拿，结果中计，掉入陷坑被捉。宋江亲解其缚，劝说之下，落草梁山，后又依吴用之计，跑回青州城下，诈称逃回，赚开城门，梁山军马攻下青州（第58回）。

攻打华州，呼延灼是五先锋之一。劫持宿太尉时，呼延灼和其他三人埋伏渭河岸上，见机行事，威慑官兵。梁山人马假冒宿太尉将领御赐金铃吊挂来西岳降香队伍，智取华州时，呼延灼和秦明引一队人马与另外一队人马两路取城。史进请缨攻打芒砀山强人樊瑞等人时，呼延灼随宋江前去支援（第59回）。公孙胜布阵破樊瑞，呼延灼是守阵八员猛将之一。攻打曾头市，呼延灼是晁盖点的二十位头领之一。偷袭曾头市，呼延灼是十头领之一。结果中计，晁盖中箭，呼延灼和燕顺将晁盖带出。

宋江为山寨之主后，任呼延灼为右军寨内第一位头领（第60回）。吴用设计赚卢俊义上山，在梁山脚下卢俊义中计。呼延灼是包围卢俊义的头领之一（第61回）。攻打大名府救卢俊义、石秀，呼延灼是左军头领。呼延灼曾与众头领围攻大名府兵马都监闻达（第63回）。关胜攻打梁山，宋江急回兵救援。吴用担心大名府兵马追赶，让呼延灼带领凌振等在城外数十里处，放号炮，指挥伏兵，拦击追兵。果然将闻达、李成打得大败。

回到梁山脚下，呼延灼又深夜私访关胜，诈称呼延灼和宋江愿与关胜里应外合，消灭梁山军马，归顺朝廷，并诈降关胜，与梁山黄信交手，一鞭将黄信打下马去，以解关胜之疑。晚间呼延灼又带关胜偷营，结果中计，关胜被捉。上山后，呼延灼又请关胜恕他虚诳之罪（第64回）。元宵节里应外合攻大名府，呼延灼是八路军马中第一队前部首领。曾兵临南门城下，梁中书、李成不敢从此门逃走（第66回）。

梁山分头攻打东昌府、东平府，呼延灼随卢俊义攻打东昌府（第69回）。与东昌府张清交手，被张清石子击中手腕，使不得钢鞭，急回本阵（第70回）。

石碣天文载，呼延灼是三十六员天罡星中的天威星。排座次时，他是马军五虎将之一。呼延灼与其他三人把守梁山正北旱寨（第71回）。宋江上元节晚上去东京观灯，李逵大闹东京。宋江匆匆逃出，吴用派呼延灼等五虎将到城外接应。宋江等从城内逃出后，呼延灼五人兵临城下，使高廉不敢出城追赶（第72回）。李逵大闹东京回山寨，路遇刘太公，家有一女儿，被冒充宋江的二人劫走。李逵听后大怒，回山寨要杀宋江，被呼延灼等五虎将拦住（第73回）。

童贯率官军攻打梁山泊，梁山泊以九宫八卦阵对敌，呼延灼是八阵中后面军马首领（第76回）。童贯二次攻打梁山泊，吴用布下十面埋伏，呼延灼和林冲是一部，呼延灼大败了官军将领段鹏举（第77回）。高俅攻打梁山，呼延灼将高俅手下清河天水节度使荆忠用钢鞭打死，又和林冲一起救了中箭的董平（第78回）。高俅二次攻打梁山，呼延灼与高俅将领韩存保大战，滚入溪中，徒手相搏。张清赶来，生擒韩存保。敌将张开、梅展又救了韩存保。秦明、关胜截住与之厮杀，夺回韩存保。呼延灼又依吴用之计，与林冲拦截高俅军马（第79回）。高俅三打梁山，呼延灼与秦明、林冲、关胜埋伏陆上，追杀官军将领项之镇、张开、周昂、王焕（第80回）。

梁山招安后，奉旨征辽，攻檀州，呼延灼与董平奉命从东北方向进兵（第83回）。在玉田关胜与辽将耶律宗云大战，耶律宗霖上前协助，呼延灼拍马迎住厮杀。军队被辽军冲散，后又与卢俊义、关胜会合。攻打冀州，呼延灼是卢俊义右军三十七头领之一（第84回）。攻打幽州，途中中计，卢俊义等兵陷青石峪，宋江派呼延灼和花荣、秦明、关胜去寻找，一日无结果（第86回）。辽国统军兀颜光之子兀颜延寿率军二万来夺幽州，公孙胜作法，呼延灼活捉了兀颜延寿（第87回）。兀颜光进攻幽州，在昌平摆下混天阵，宋江摆九宫八卦阵对敌，呼延灼在右方，撞退压阵辽兵。攻混天阵两次失败，呼延灼建议分十路兵马进攻，宋江依计而行，结果又败（第88回）。昌平失利后，宋江得九天玄女之法，与辽再战，呼延灼是攻辽国火星阵左右撞破红旗军的主将，下辖七副将。辽国投降，呼延灼是护送宿太尉去辽国颁旨的十员上将之一（第89回）。

征田虎，呼延灼是前部将领之一。后驻守卫州（第91回）。新官到任交接后，呼延灼与关胜回到昭德宋江处。宋江命呼延灼和关胜由李俊等水军协同去潞城支援索超等人，攻取了榆社、大谷（第99回）。

宋江奉旨征王庆，攻宛州，呼延灼与林冲等十头领领兵驻扎宛州之西，以拒北来敌军援兵（第105回）。攻荆南纪山，呼延灼与秦明八人首先出战，与敌将滕戡大战五十会合，不分胜负。吴用拟智取，令呼延灼和秦明等六人为前部冲击（第107回）。攻打南丰，在城外布下九宫八卦阵，呼延灼是其中一阵主将（第109回）。

征方腊，攻润州，城中打响后，呼延灼和关胜等十员战将渡江登岸，冲杀入城。攻丹徒，呼延灼是十员正将之一（第111回）。关胜与敌将邢政交锋，杀了邢政，呼延灼乘机驱兵掩杀。打下丹徒后，兵分两路，呼延灼是卢俊义率领的攻打宣、湖二州的十五员正将之一。攻宣州，呼延灼与敌将李韶交锋（第112回）。攻下湖州，由呼延灼守卫，而后与其十八正偏将进攻德清，约定与卢俊义所部去杭州聚齐（第114回）。来杭州途中与卢俊义相遇，合兵一处，到皋亭山宋江处，向宋江报告了雷横、龚旺战死情况。围杭州，呼延灼与卢俊义等十三员正偏将攻打候潮门（第115回）。

破杭州后，兵分两路，呼延灼和其他二十七位将佐随卢俊义攻打歙州和昱岭关（第116回）。攻昱岭关，用朱武之计，火烧山林，使敌人伏兵无法施展，又让时迁在山后放火放炮，呼延灼和林冲立马关下叫骂。攻关时，呼延灼和林冲首先上山。接着去攻歙州，初战不利，朱武料敌人晚间必来劫寨，让众将埋伏，呼延灼引一支军马埋伏营寨左边，敌人劫寨，他双鞭齐下，打死南国高侍郎（第118回）。攻入帮源洞方腊内苑深宫后，阮小七着方腊衣冠戏耍，被童枢密大将王禀、赵谭撞见而斥责，双方争吵，就要火并，呼延灼看见，急下马隔开。

征方腊后，班师回京，官授呼延灼武节将军、御营兵马指挥使（第119回）。每日随驾操备，后领大军破大金兀术四太子，在淮西阵亡（第120回）。

韩　滔

　　韩滔，人称"百胜将军"，东京人，应过武举，使一条枣木槊，官任陈州团练使。呼延灼攻打梁山，推举韩滔任正先锋。曾与秦明交手，略逊一筹。又和呼延灼商量用连环马攻梁山，结果大胜，受到皇帝赏物（第55回）。徐宁的钩镰枪大败呼延灼的连环马，韩滔被俘，上了梁山。在宋江、凌振劝说下落草，宋江又让人搬来了韩滔家老小（第57回）。宋江为山寨之主后，任韩滔为后军寨第四位首领（第60回）。攻打大名府救卢俊义、石秀，韩滔是前军二副将之一。曾与众头领围攻大名府兵马都监闻达（第63回）。元宵节里应外合攻大名府，韩滔是八路军马中第一队呼延灼手下二副将之一。曾随呼延灼兵临南门城下，梁中书、李成不敢从此门逃走（第66回）。梁山分头攻打东昌府、东平府，韩滔随宋江攻打东平府，与东平兵马都监董平交手（第69回），后随宋江支援卢俊义攻打东昌府，结果被东昌府张清用石子击中鼻凹，逃回本阵（第70回）。

　　石碣天文载，韩滔是七十二员地煞星中的地威星。排座次时，韩滔是十六员马军小彪将兼远探出哨头领之一，与其他三人把守梁山正北旱寨（第71回）。童贯率官军攻打梁山泊，梁山泊以九宫八卦阵对敌，韩滔是八阵中后面军马左手副将（第76回）。

　　梁山招安后，奉旨征辽。在玉田大战，军队被辽军冲散，后韩滔

地威星百勝將韓滔

又与卢俊义、关胜会合。攻打冀州，韩滔是卢俊义右军三十七头领之一（第84回）。攻打幽州途中中计，卢俊义率领韩滔和其他十一位将领兵陷青石峪，后由宋江人马救出，回蓟州暂歇（第86回）。昌平失利后，宋江得九天玄女之法，与辽再战，韩滔是呼延灼下辖攻辽国火星阵左右撞破红旗军七门的七副将之一，并与彭玘生擒辽将柳土獐雷春、翼火蛇狄圣（第89回）。

征田虎，韩滔是前部将领之一。打盖州，韩滔与董平等七人为左翼（第91回）。围攻盖州，韩滔与徐宁等攻南门，进城后，与徐宁杀奔东门，放林冲进城（第92回）。打下盖州后，又兵分两路击田虎，韩滔分拨到卢俊义一路（第93回）。卢俊义等克汾阳后，又被会法术的马灵包围，公孙胜来破法术，卢俊义和韩滔等六将领由南门（按：当为北门）出击，攻田豹。他们杀死了敌将索贤、党世隆、凌光（第99回）。

宋江奉旨征王庆，攻宛州，韩滔与呼延灼、林冲等十头领领兵驻扎宛州之西，以拒北来敌军援兵（第105回）。攻山南城，兵分三路，韩滔与黄信等十四人是后队（第106回）。攻荆南纪山，初战不利，吴用拟智取，韩滔和李应等四人领兵留于寨内，听号炮响后，从两路抄到军前，拦击敌军（第107回）。攻打南丰，在城外布下九宫八卦阵，呼延灼是其中一阵主将，韩滔和彭玘分列左右（第109回）。

征方腊，攻润州，城中打响后，韩滔和呼延灼、关胜等十员战将渡江登岸，冲杀入城（第111回）。打下丹徒后，兵分两路，韩滔是宋江率领下攻打常、苏二州的二十九偏将之一。攻常州，阵中面颊上先中敌将高可立一箭，后又被敌将张近仁刺中咽喉而死（第112回），后封义节郎（第119回）。

彭玘

彭玘,人称"天目将",东京人氏,累代将门之后,官任颍州团练使。使一口三尖两刃四窍八环刀,骑五明千里黄花马,武艺出众。呼延灼攻打梁山,举荐彭玘为副先锋。曾与花荣交手略逊一筹,与扈三娘交锋,扈三娘佯败,彭玘急急追赶,让扈三娘用红锦套索套住,拖下马来,捉上山寨。宋江亲解其缚,后为梁山头领(第55回)。彭玘要求把老小接来,宋江派杨林把他家眷接到梁山(第56回)。韩滔被俘后,彭玘劝韩滔入伙(第57回)。

宋江为山寨之主后,任彭玘为后军寨第五位首领(第60回)。攻打大名府救卢俊义、石秀,彭玘是前军二副将之一。曾与众头领围攻大名府兵马都监闻达(第63回)。元宵节里应外合攻大名府,彭玘是八路军马中第一队呼延灼手下二副将之一。曾随呼延灼兵临南门城下,梁中书、李成不敢从此门逃走(第66回)。梁山分头攻打东昌府、东平府,彭玘随宋江攻打东平府(第69回),后随宋江支援卢俊义攻打东昌府,结果被东昌府张清用石子击中面颊,彭玘拨马回阵(第70回)。

石碣天文载,彭玘是七十二员地煞星中的地英星。排座次时,彭玘是十六员马军小彪将兼远探出哨头领之一,与其他三人把守梁山正北旱寨(第71回)。童贯率官军攻打梁山泊,梁山泊以九宫八卦阵对

地英星天目将彭玘

敌，彭玘是八阵中后面军马右手副将（第76回）。

梁山招安后，奉旨征辽。在玉田大战，军队被辽军冲散，后彭玘又与卢俊义、关胜会合。攻打蓟州，彭玘是卢俊义右军三十七头领之一（第84回）。攻打幽州途中中计，卢俊义率领彭玘和其他十一位将领兵陷青石峪，后由宋江人马救出，回蓟州暂歇（第86回）。昌平失利后，宋江得九天玄女之法，与辽再战，彭玘是呼延灼下辖攻辽国火星阵左右撞破红旗军七门的七副将之一，并与韩滔生擒辽将柳土獐雷春、翼火蛇狄圣（第89回）。

征田虎，彭玘是前部将领之一。打盖州，彭玘与董平等七人为左翼（第91回）。围攻盖州，彭玘与徐宁等攻南门，进城后，与秦明杀奔西门，放董平等进城（第92回）。打下盖州后，又兵分两路击田虎，彭玘分拨到卢俊义一路（第93回）。卢俊义等克汾阳后，又被会法术的马灵包围，公孙胜来破法术，卢俊义和彭玘等六将领由南门（按：当为北门）出击，攻田豹，他们杀死了敌将索贤、党世隆、凌光（第99回）。

宋江奉旨征王庆，攻宛州，彭玘与呼延灼、林冲等十头领领兵驻扎宛州之西，以拒北来敌军援兵（第105回）。攻山南城，兵分三路，彭玘与黄信等十四人是后队（第106回）。攻荆南纪山，初战不利，吴用拟智取，彭玘和李应等四人领兵留于寨内，听号炮响后，从两路抄到军前，拦击敌军（第107回）。攻打南丰，在城外布下九宫八卦阵，呼延灼是其中一阵主将，彭玘和韩滔分列左右（第109回）。

征方腊，攻润州，城中打响后，彭玘和呼延灼、关胜等十员战将渡江登岸，冲杀入城（第111回）。打下丹徒后，兵分两路，彭玘是宋江率领下攻打常、苏二州的二十九偏将之一。攻常州，阵中被敌将张近仁刺死（第112回），后封义节郎（第119回）。

凌　振

凌振，人称"轰天雷"，东京人，祖籍燕凌。宋朝盛世第一炮手，善造风火炮、金轮炮、子母炮，能打十四五里远，又深通武艺，弓马娴熟，任甲仗库副使炮手。呼延灼攻打梁山，因四面是水，不便下手，遂举荐凌振炮攻。高太尉授予军统领官文凭，梁山闻讯，吴用让撤了鸭嘴滩小寨，使火炮鞭长莫及，无法施展。后凌振被诱到水边，阮小二将船放翻，把他捉上岸去，宋江亲解其缚，遂在梁山落草（第55回）。宋江派薛永把凌振家眷接到梁山（第56回）。宋江要徐宁用钩镰枪破呼延灼的连环马，凌振和杜兴专放号炮，放的子母炮，大显威风，呼延灼军马自乱。韩滔被俘后，凌振劝韩滔入伙（第57回）。攻打青州，凌振是后军四头领之一（第58回）。

宋江为山寨之主后，让凌振管炮（第60回）。攻打大名府救卢俊义、石秀，凌振负责接应粮草。曾与众头领围攻大名府兵马都监闻达，放炮攻击（第63回）。关胜攻打梁山，宋江急回兵救援。吴用担心大名府兵马追赶，让呼延灼带领凌振在城外数十里处，放号炮，指挥伏兵，拦击追兵，果然将闻达、李成打得大败（第64回）。元宵节里应外合攻大名府，凌振扮作云游道士公孙龙的道童，携带风火、轰天等炮数百进城。攻城开始，凌振和公孙胜在城隍庙放炮（第66回）。梁山分头攻打东昌府、东平府，凌振随卢俊义攻打东昌府（第69回）。

地軸星轟天雷凌振

石碣天文载，凌振是七十二员地煞星中的地轴星。排座次时，凌振是十六员掌管监造诸事头领之一，专造一应大小号炮（第71回）。童贯率官军攻打梁山泊，梁山泊以九宫八卦阵对敌，凌振在中军（第76回）。

梁山招安后，奉旨征辽。攻打檀州，凌振奉命与李逵等六人去城下，凌振二更施放号炮，共同攻城。等檀州水门开后，敌军放出战船，凌振放了风火炮，两边水军齐出，又放了车箱炮，飞在半天里响，威慑敌兵（第83回）。攻打蓟州，凌振是宋江左军四十八头领之一。辽军坚守蓟州，宋江依吴用建议，令凌振四下施放大炮，连夜加紧攻城（第84回）。

征田虎，攻盖州久久不下，吴用命凌振和解氏兄弟领二百人马带轰天子母大小号炮，与其他首领配合，日夜鼓噪，行疑兵之计，使敌疲于奔命（第92回）。打下盖州后，又兵分两路击田虎，凌振分拨到宋江一路（第93回）。宋江军北攻襄垣，凌振是三十一将佐之一（第98回）。

宋江奉旨征王庆，攻宛州前，兵屯阳翟城外方城山树林中。宋江料到敌军会来火攻，预做布置，设两路伏兵，让凌振放轰天炮为号，伏兵杀出（第105回）。

宋江奉旨攻王庆，攻山南城时，依吴用之计，让水军头领以粮船为饵，诱敌打开城西水门劫掠。张横等乘机在水下，将伏有凌振和鲍旭等二十个步军头领的船只推入城去，杀上岸去。凌振施放轰天子母炮，城外宋江立刻攻城（第106回）。攻荆南纪山，初战不利，吴用拟智取，凌振同鲁智深等十四将领乘夜抄小路到纪山之后，乘营内空虚之际，他放号炮，鲁智深等杀上山去，夺了敌营（第107回）。攻打南丰，在城外布下九宫八卦阵，凌振在八阵中央（第109回）。打下丹徒后，兵分两路，凌振是宋江率领下攻打常、苏二州的二十九偏将之一。攻常州，凌振施放风火炮，击中敌楼角，几乎击中敌将吕枢密（第112回）。李俊等在太湖上劫取了方腊运送铁甲的船只，进入苏州。凌振和李逵、戴宗等伏于船内，进城后，凌振施放号炮，指示城外攻城（第113回）。

攻杭州，宋江兵分三路，凌振是中路前队六正偏将之一。攻北关门、艮山门（第114回）。二次部署攻杭州，凌振是宋江率领下攻北关门大路的二十一正偏将之一。吴用设计智取杭州，引诱敌人远离城郭，然后放号炮攻城。关胜在北关门下搦战。敌将石宝出马，关胜佯败，石宝追赶，凌振放起号炮，各路一齐攻城。解氏兄弟劫取了给杭州运送粮食的船只。依吴用计谋，凌振和解氏兄弟等十八人藏于船内，或扮作艄公艄婆，混入城内。夜里二更，凌振取出九箱子母等炮，到吴山顶上放起来，里应外合，攻下杭州（第115回）。

破杭州后，宋江令凌振和裴宣录写众将功劳。后兵分两路征进，凌振和其他三十五员将佐随宋江攻打睦州和乌龙岭（第116回）。攻乌龙岭不利，依吴用建议，派马麟和燕顺去村中寻访到一位熟悉道路的老人。宋江遂带领十二将佐由老人引路从小道绕过乌龙岭，直达睦州附近。宋江让凌振施放连珠炮，敌人大惊。二次攻打睦州，凌振把九箱子母炮，打进城去，震天动地，敌人不战自乱，并用轰天炮一个火弹子打中会道法的敌将包道乙，身首被击得粉碎（第117回）。

征方腊后，班师回京，凌振官授武奕郎、都统领（第119回），仍受火药局御营任用（第120回）。

徐 宁

徐宁，人称"金枪手"，与林冲在东京相识，是汤隆的表兄。他的金枪法、钩镰枪法，天下独步；马上步行，都有法则，神出鬼没。祖传习学，不教外人，是京师金枪班唯一会使钩镰枪的教头，钩镰枪法专破连环马。先祖留下一件镇家之宝，人称"赛唐猊"，刀箭不入，珍藏在家，不示于人，视若性命，用一皮匣悬于梁上。呼延灼用连环马攻打梁山，汤隆推荐一人能破连环甲马（第55回），说先朝曾用连环甲马取胜，要破它，需要钩镰枪，自家祖传有画样，但会造不会用，只有请他表哥徐宁来才行。要让徐宁来，就要把他的镇家之宝"赛唐猊"金甲盗来。汤隆又秘密给宋江说了诱使徐宁上山的计划。吴用让时迁盗来金甲，汤隆又帮助徐宁追赶，步步诱入圈套，最后，由化名李荣的乐和用麻药酒把徐宁放翻，送到朱贵酒店，又转到梁山。徐宁醒来，汤隆说明原委，徐宁上山落草。后汤隆和戴宗又去徐宁家中对徐宁妻子诈称雁翎锁子甲已经得到，徐宁于途中客店病危，骗徐宁家属上山（第56回）。徐宁日夜教练钩镰枪破连环马之术。宋江布阵与呼延灼战，徐宁用钩镰枪大败呼延灼（第57回）。

攻打华州，徐宁是五先锋之一。劫持宿太尉时，徐宁和其他三人埋伏渭河岸上，见机行事，威慑官兵。梁山人马假冒宿太尉将领御赐金铃吊挂来西岳降香队伍，智取华州时，徐宁扮作四个衙兵之一，与

天祐星金槍手徐寧

众头领杀了华州贺太守的随从。史进请缨攻打芒砀山强人樊瑞等人时，徐宁随宋江前去支援（第59回）。公孙胜布阵破樊瑞，徐宁是守阵八员猛将之一。攻打曾头市，徐宁是晁盖点的二十位头领之一。宋江为山寨之主后，任徐宁为前军寨内第二位头领（第60回）。吴用设计赚卢俊义上山，在梁山脚下卢俊义中计，徐宁是包围卢俊义的头领之一（第61回）。二次攻打曾头市徐宁未去，后宋江又调他去协助，在中军驻扎（第68回）。梁山分头攻打东昌府、东平府，徐宁随宋江攻打东平府，与东平府兵马都监董平大战五十回合，不分胜负（第69回）。后随宋江支援卢俊义攻打东昌府，结果被东昌府张清用石子击中眉心，翻身落马，被吕方、郭盛救回（第70回）。

石碣天文载，徐宁是三十六员天罡星中的天祐星。排座次时，徐宁是马军八骠骑兼先锋使之一。徐宁与关胜、宣赞、郝思文把守梁山正东旱寨（第71回）。陈太尉来梁山招安，徐宁与宋江意见不同，心存疑虑（第75回）。童贯率官军攻打梁山泊，梁山泊以九宫八卦阵对敌，徐宁是中军护军仪仗首领之一（第76回）。童贯二次攻打梁山，吴用布下十面埋伏，徐宁和宋江、吴用立于山头，逗引童贯（第77回）。

梁山招安后，奉旨征辽，徐宁与辽将阿里奇战不支，退回本阵（第83回）。玉田大战，徐宁和索超与辽将耶律宗电、耶律宗雷厮杀。被辽军冲散，后徐宁和董平又与卢俊义会合。攻打蓟州，徐宁是卢俊义右军三十七头领之一（第84回）。攻打幽州途中中计，卢俊义率领徐宁和其他十一位首领兵陷青石峪，由宋江一路人马救出后，回蓟州暂歇（第86回）。辽国统军兀颜光进攻幽州，在昌平摆下混天阵，宋江摆九宫八卦阵对敌，徐宁居东北方。攻辽国混天阵，徐宁和林冲、花荣等八人从左右两面，撞对方皂旗阵势，结果大败（第88回）。昌平失利后，宋江得九天玄女之法，与辽再战，徐宁是林冲辖下攻辽国木星阵左右撞破青旗军七门的七副将之一（第89回）。

征田虎，徐宁是前部将领之一。打盖州，徐宁和燕顺等八人是后队头领（第91回）。围攻盖州，徐宁与秦明等攻南门，进城后，直奔东门，杀死敌将安士荣，夺了城门，放林冲军马进城（第92回）。打下盖州后，又兵分两路击田虎，徐宁分拨到宋江一路（第93回）。从东路进军，徐宁和林冲、索超、张清等为前队首领。攻壶关，敌守将唐斌准备献关，以宋江营寨鸣炮为号。宋江、吴用担心有诈，命徐宁和索超领兵伏于寨东，相机攻关。攻打壶关时，杀死敌将史定（第94回）。

攻昭德，李逵被俘，宋江率徐宁和林冲等十将领救李逵，结果被乔道清妖术打败，徐宁和林冲等七人紧紧护卫宋江（第95回）。公孙胜破妖法后，奉命和索超领兵从东路抄至南门，截住乔道清进城去路。昭德城内敌人从南门出兵接应，徐宁和张清迎敌，徐宁力战孙琪、聂新二敌将，将聂新刺伤坠马，被人马践踏而死（第96回）。徐宁又奉命和索超等七人统兵攻取了潞城县。攻城中，徐宁令军士裸身大骂，激怒敌人出战。敌人果然中招，从四门杀出，阵中徐宁杀死了敌将池方（第98回）。又与关胜、李俊等人马攻取了榆社、大谷（第99回）。

宋江奉旨攻王庆，攻山南城时，兵分三队，徐宁与董平等十二人为前队，与张清、董平、唐斌等四人与敌将縻貹厮杀。攻西京，徐宁是卢俊义统领的二十四员战将之一（第106回）。攻荆南纪山，徐宁和秦明等八人领兵首先出战，吴用拟智取。令徐宁和秦明等六人为前部冲击（第107回）。攻打南丰，在城外布下九宫八卦阵，徐宁和花荣在中军，靠近主帅宋江等人处护卫（第109回）。

征方腊，攻丹徒，徐宁是十员正将之一（第111回）。打下丹徒后，兵分两路，徐宁是宋江率领下攻打常、苏二州的十三正将之一。

徐宁在关胜带领下九位战将首先出发，直逼常州城下。阵中，关胜因马失前蹄而跌下，徐宁带宣赞、郝思文救出（第112回）。在无锡、苏州之间与敌大战，徐宁杀死了方腊军吕枢密后，又和关胜等八人迎敌，徐宁和敌将邬福交锋（第113回）。

　　攻打杭州，来到临平山，花荣、秦明首先出战，回来后，向宋江报告敌情，宋江遂带徐宁和朱仝等四人到了阵前。秦明、花荣再和敌将交手，徐宁出马帮助花荣。攻杭州，宋江兵分三路，徐宁是中路前队七个正偏将之一，攻北关门、艮山门。一日徐宁和郝思文出哨到了北关门，城门打开，冲出一彪军马。城西偏路又杀出一队军马，徐宁并力死战。郝思文被捉，徐宁急待回身，项上早中了毒箭，让关胜救回，最后徐宁医治无效身亡（第114回），他后封忠武郎（第119回）。

樊 瑞

樊瑞，人称"混世魔王"，呼风唤雨，用兵如神（第59回）。祖籍濮州人氏，幼年做全真先生，江湖上学得一身武艺。马上惯使一个流星锤，神出鬼没，斩将搴旗，人不敢近。善用妖法，但不懂阵势。公孙胜布阵捉了项充、李衮二人上了梁山。在他们劝说下，樊瑞也在梁山落草。宋江为山寨之主后，让樊瑞与雷横把守山前第一关（第60回）。元宵节里应外合攻大名府，樊瑞是八路军马中第八队步军头领。李成、梁中书、闻达出城南逃，樊瑞带领项充、李衮途中截击（第66回），梁中书等三人逃脱，樊瑞和众人进城听令（第67回）。二打曾头市，樊瑞和李逵是合后步军头领。后双方议和，樊瑞和李逵、项充、李衮作为人质，去了曾头市。吴用利用郁保四回曾头市劝诱史文恭等二次来劫宋江营寨，结果史文恭中计。梁山人马里应外合，樊瑞和李逵、项充、李衮从曾头市法华寺内杀出，攻下曾头市（第68回）。梁山分头攻打东昌府、东平府，樊瑞随卢俊义攻打东昌府（第69回）。其间，樊瑞和项充、李衮曾和东昌府张清的副将丁得孙交手（第70回）。

石碣天文载，樊瑞是七十二员地煞星中的地然星。排座次时，樊瑞是十七员步军将校之一，与其他三人住忠义堂右边（第71回）。童贯率官军攻打梁山泊，樊瑞和李逵等诱敌出战（第76回）。高俅两次

地然星混世魔王樊瑞

攻打梁山失败后，天子降诏招安。高俅由济州派人传信。吴用怕有阴谋，派李逵与樊瑞、鲍旭、项充、李衮带兵一千埋伏济州东路，若听得连珠炮响，即杀奔北门取齐（第79回）。

梁山招安后，奉旨征辽。攻打檀州，樊瑞奉命与李逵等六人去城下，施放号炮。辽兵欲出城，被樊瑞和李逵等人迎击，不得出城，后又杀进城去（第83回）。攻打蓟州，樊瑞是宋江左军四十八首领之一（第84回）。宋江诈降辽国，到了霸州，樊瑞是随行十五头领之一（按：实为十四人），后里应外合取了霸州（第85回）。攻打幽州，途中中计，卢俊义率领的军马兵陷青石峪，由宋江一路人马去解救，樊瑞是头领之一，曾与辽兵厮杀（第86回）。辽国统军兀颜光在昌平布下混天阵，樊瑞和众人在宋江布置下撞杀进去，结果大败（第88回）。昌平失利后，宋江得九天玄女之法，与辽再战，樊瑞与李逵等五员战将护送雷车，攻击辽国中军（第89回）。

打下盖州后，又兵分两路击田虎，樊瑞分拨到宋江一路（第93回）。从东路进军，攻下壶关，樊瑞奉命和孙立等五人镇守（第94回）。攻昭德，乔道清用妖法大败李逵，李逵被俘。宋江调樊瑞来破妖法，樊瑞在单廷珪、魏定国配合下，与乔道清斗法，结果不敌（第95回）。公孙胜破妖法后，鏖战一天，兵疲马乏，吴用令樊瑞和单廷珪、魏定国前去接应。又在公孙胜率领下领兵追击乔道清，后宋江又派林冲、张清支援，合兵一处，把乔道清围困于石谷峪（第96回）。乔道清降后，樊瑞与众将回昭德城驻扎（第97回）。宋江北征襄垣城，樊瑞是三十一将佐之一（第98回）。攻荆南纪山，初战不利。吴用拟智取，樊瑞同鲁智深等十四将领乘夜抄小路到纪山之后，乘敌出击，营内空虚之际，夺了敌营（第107回）。南丰城外大战时，樊瑞和李逵等四人两次与敌交锋，诈败诱敌深入。后王庆突围时，樊瑞与鲁智深等八位头领领兵截击（第109回）。

征方腊，宋江军屯扬州城外，有杨浦村陈将士与江南润州方腊的吕枢密联络图谋扬州。燕青依计扮作吕枢密帐前叶虞候带领解氏兄弟去见陈将士，陈氏父子醉倒后，解珍施放号炮，左右埋伏的头领一起动手杀了陈一家。樊瑞与朱仝等配合包围了村庄（第111回）。打下丹徒后，兵分两路，樊瑞是宋江率领下攻打常、苏二州的二十九偏将之一（第112回）。进攻苏州，樊瑞杀死了敌将邬福（第113回）。攻杭州，宋江兵分三路，樊瑞是中路宋江率领的第二队十七个正偏将之一，攻北关门、艮山门。张顺死后，宋江带樊瑞和石秀等四人引兵由小路来到李俊寨里，又到了灵隐寺，追荐张顺，引诱敌人。行祭时，让樊瑞和石秀、马麟埋伏左右（第114回）。敌果中计，来捉宋江，大败而回。后樊瑞又和马麟、石秀留在西山沟内，支援李俊等，准备攻城。二次部署攻打杭州，樊瑞和李俊等十一名正偏将驻扎西山寨内，攻打靠湖门（第115回）。

攻下杭州后，兵分两路进击，樊瑞和其他三十五员将佐随宋江攻睦州和乌龙岭。途中攻桐庐，樊瑞和李逵等五人领兵由西路去桐庐劫寨（第116回）。宋江在乌龙岭下中了埋伏，吴用派樊瑞和秦明等十三人救援。攻乌龙岭不利，后访得一老人，宋江遂带领樊瑞和花荣等十二将佐由老人引路从小道绕过乌龙岭，直达睦州附近，敌人大惊。攻睦州，初战不利，敌将郑魔君大败李逵，杀了项充、李衮。樊瑞和秦明等三人引军支援，救了李逵。二次攻睦州，关胜与敌将郑魔君交手，敌将会道术的包天师作法，宋江急令樊瑞作法对阵，结果破了包天师的道法。关胜杀了郑魔君（第117回）。

征方腊后，班师回京。官授樊瑞武奕郎、都统领（第119回）。朱武向樊瑞学道法，二人遂做了全真先生，云游江湖，后去投公孙胜出家，以终天年（第120回）。

项　充

项充，人称"八臂哪吒"，徐州沛县人，使一面团牌，背插飞刀二十四把，百步取人，无有不中，右手使一条铁标枪。项充和李衮一起打败了梁山的史进、朱武、杨春、陈达（第59回）。公孙胜布阵将项充捉去，并在梁山落草，后又与李衮去劝说樊瑞同归梁山。宋江为山寨之主后，让项充和李衮把守山前第三关（第60回）。元宵节里应外合攻大名府，项充是八路军马中第八队步军头领樊瑞手下的二将之一。李成、梁中书、闻达出城南逃，项充和李衮在樊瑞带领下途中截击（第66回）。梁中书等三人逃脱，项充和众人进城听令（第67回）。

二打曾头市，项充是合后步军副将之一，后双方议和，他和李逵、樊瑞、李衮作为人质，去了曾头市。吴用利用郁保四回曾头市劝诱史文恭等二次来劫宋江营寨，结果史文恭中计。梁山人马里应外合，项充和李逵、樊瑞、李衮从曾头市法华寺内杀出，攻下曾头市（第68回）。梁山分头攻打东昌府、东平府，项充随卢俊义攻打东昌府（第69回）。其间，项充和樊瑞、李衮曾和东昌府张清的副将丁得孙交手，被丁得孙用飞叉击伤（第70回）。

石碣天文载，项充是七十二员地煞星中的地飞星。排座次时，项充是十七员步军将校之一。与其他三人住忠义堂右边（第71回）。童贯率官军攻打梁山泊，项充和李逵、樊瑞等诱敌出战（第76回）。童

地飞星八臂哪吒项充

贯二打梁山，吴用布置十面埋伏，项充和李逵、鲍旭、李衮为一部，杀得官军七零八落（第77回）。高俅两次攻打梁山失败后，天子降诏招安。高俅由济州派人传信。吴用怕有阴谋，派李逵带领项充与樊瑞、鲍旭、李衮带兵一千埋伏济州东路，若听得连珠炮响，即杀奔北门取齐（第79回）。

梁山招安后，奉旨征辽，行前项充、李衮手下的一名军校因不满厢官克扣朝廷赏赐的酒肉与厢官争执中，杀死了厢官，项充和李衮飞报宋江处置。攻打檀州，项充奉命与凌振等六人去城下施放号炮。辽兵欲出城，被项充和李逵等五人截住厮杀，不得出城，后又攻进城去（第83回）。攻打蓟州，项充是宋江左军四十八首领之一（第84回）。宋江诈降辽国，到了霸州，项充是随行十五头领之一（按：实为十四人），后里应外合取了霸州（第85回）。攻打幽州，卢俊义率领军马兵陷青石峪，由宋江一路人马去解救，项充是头领之一，曾与辽兵厮杀（第86回）。辽国统军兀颜光在昌平布下混天阵，项充和众人在宋江布置下撞杀进去，结果大败（第88回）。昌平失利后，宋江得九天玄女之法，与辽再战，项充与李逵等五员战将护送雷车，攻击辽国中军（第89回）。

征田虎，攻打陵川，项充是步军首领之一，他和李逵等十数个头领率先抢进城去，大肆砍杀。卢俊义又令项充和步军将士穿换敌人衣甲，攻打高平，由田虎降将耿恭赚开城门，杀进城去（第91回）。项充与李逵等人与负责四门探听联络的游骑花荣等人互相策应（第92回）。打下盖州后，又兵分两路击田虎，项充分拨到宋江一路（第93回）。从东路进军，攻壶关，项充和李逵等四人是步兵标枪牌手首领。攻打昭德，项充和李逵等四人领兵作为游兵，往来接应。李逵不听劝阻，去攻打会妖法的乔道清，项充和鲍照、李衮担心李逵有失，遂一齐杀上前去，结果中了妖法（第94回），全部被俘（第95回），昭德城降后被放出（第97回）。宋江北征襄垣，项充是三十一将佐之一（第98回）。田虎率军援襄垣受阻，中途折回，宋江密令项充和鲁智深等五人截击，大败敌军（第100回）。

宋江奉旨攻王庆，攻山南城时，依吴用之计，让水军头领以粮船为饵，诱敌打开城西水门劫掠。张横等乘机在水下，将伏有项充和鲍旭等二十个步军头领的船只推入城去，杀上岸去（第106回）。攻荆南纪山，初战不利，吴用拟智取。项充同鲁智深等十四将领乘夜抄小路到纪山之后，乘敌出击，营内空虚之际，夺了敌营（第107回）。南丰城外大战时，项充和李衮等四人两次与敌交锋，诈败诱敌深入。王庆突围时，项充与鲁智深等八位头领领兵截击（第109回）。

征方腊，宋江军屯扬州城外，有杨浦村陈将士与江南润州方腊的吕枢密联络图谋扬州。燕青依计扮作吕枢密帐前叶虞候带领解氏兄弟去见陈将士，陈氏父子醉倒后，解珍施放号炮，左右埋伏的头领一起动手杀了陈一家，项充与鲁智深等十人配合从前面攻进村去。打润州，项充和李衮生擒敌将和潼（第111回）。攻下丹徒后，项充是宋江率领下攻打常州、苏州的二十九员偏将之一。攻打常州，折损了韩滔、彭玘二将，李逵报仇心切，次日项充和鲍旭、李衮在李逵带领下，直逼常州城下。李逵杀入敌阵，项充和鲍旭、李衮策应。李逵、鲍旭要杀进城去，被项充和李衮挡住，回来后四人受赏。攻下常州，敌人反扑，项充和关胜等十将迎敌（第112回）。

攻打无锡县，项充与李逵等四人率先冲杀，攻入城去。在无锡、苏州间大战中，徐宁刺死敌将吕枢密后，项充和李逵等四人杀出阵来，南兵大乱。李俊在太湖劫取了南军运送铁甲的船只，假冒敌船，进入苏州，项充和李逵等六人领兵二百潜藏船内。进城后，杀将起来，里应外合，攻取了苏州（第113回）。攻打杭州，项充是中路宋江所率第二队十七将佐之一，攻北关门、艮山门。张顺死后，宋江到灵隐寺追荐亡灵，引诱敌人，项充与李逵等四人先行探路。行祭时，又让他们四人埋伏在北山路口，依计行事（第114回），敌果然中计，来捉宋江，敌知道中计后，急忙退走。途中项充和李逵等杀出，阵中项充和李衮杀死敌将元兴。围攻杭州，项充是宋江率领下攻打北关门大路的二十一正偏将之一，项充与李逵等四人要活捉敌猛将元帅石宝，攻到城下，鲍旭战死，项充和李衮护着李逵回来（第115回）。

攻下杭州后，兵分两路进击。项充和其他三十五员将佐随宋江攻睦州和乌龙岭。途中攻桐庐，项充和李逵等五人领兵由西路去桐庐劫寨。攻打乌龙岭，项充和李逵、李衮出哨探路，到了岭下，檑木炮石打将下来，不能前进，回来报于宋江（第116回）。宋江在乌龙岭下中了埋伏，吴用派项充和秦明等十三人救援。攻乌龙岭不利，后访得一老人，宋江遂带领项充和花荣等十二将佐由老人引路从小道绕过乌龙岭，直达睦州附近，敌人大惊。攻睦州，敌人来援，王英夫妇战死，宋江大怒，率项充和李逵、李衮出阵，与敌将郑彪（郑魔君）交锋。攻打睦州，敌将郑魔君引兵赶来，项充和李逵、李衮迎战，郑魔君不敌败走，他三人不识路径，穷追不舍。结果项充被绳索绊倒，南军齐上，将其剁为肉泥（第117回），后封义节郎（第119回）。

李　衮

　　李衮，人称"飞天大圣"，徐州沂县人。使一面团牌，背插二十四条标枪，百步取人。左手挽牌，右手仗剑。和项充一起打败了梁山的史进、朱武、杨春、陈达（第59回）。公孙胜布阵将李衮捉去，并在梁山落草，后又与项充去劝说樊瑞同归梁山。宋江为山寨之主后，让李衮和项充把守山前第三关（第60回）。元宵节里应外合攻大名府，李衮是八路军马中第八队步军头领樊瑞手下的二将之一。李成、梁中书、闻达出城南逃，李衮和项充在樊瑞带领下途中截击（第66回），梁中书等三人逃脱，李衮和众人进城听令（第67回）。

　　二打曾头市，李衮是合后步军副将之一，后双方议和，李衮和李逵、樊瑞、项充作为人质，去了曾头市。吴用利用郁保四回曾头市劝诱史文恭等二次来劫宋江营寨，结果史文恭中计。梁山人马里应外合，李衮和李逵、樊瑞、项充从曾头市法华寺内杀出，攻下曾头市（第68回）。梁山分头攻打东昌府、东平府，李衮随卢俊义攻打东昌府（第69回）。其间，李衮和樊瑞、项充曾和东昌府张清的副将丁得孙交手（第70回）。

　　石碣天文载，李衮是七十二员地煞星中的地走星。排座次时，李衮是十七员步军将校之一，与其他三人住忠义堂右边（第71回）。童贯率官军攻打梁山泊。李衮和李逵、樊瑞等诱敌出战（第76回）。童

地走星飛天大聖李袞

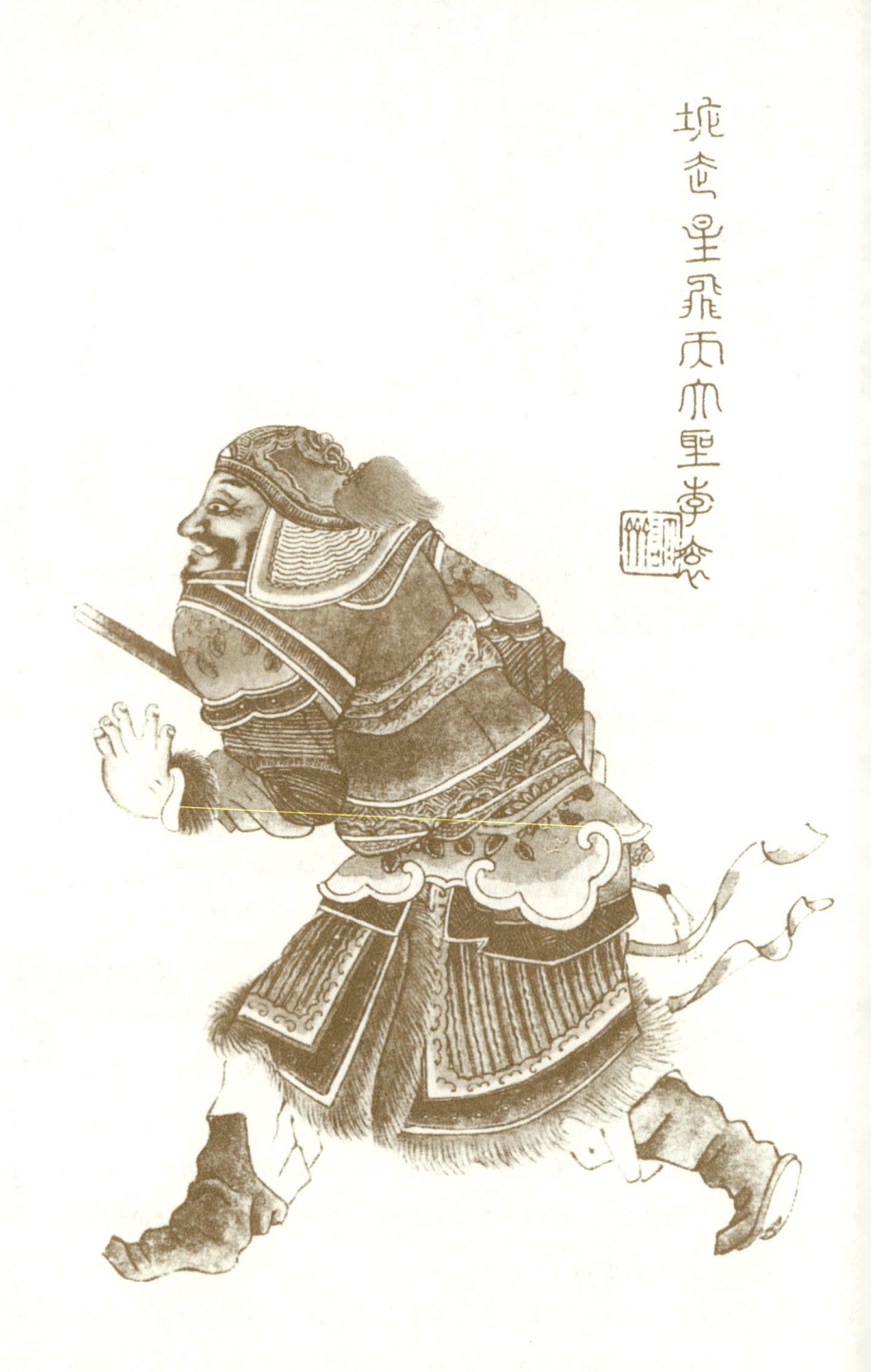

贯二打梁山，吴用布置十面埋伏。李衮和李逵、鲍旭、项充为一部，杀得官军七零八落（第77回）。高俅两次攻打梁山失败后，天子降诏招安，高俅由济州派人传信，吴用怕有阴谋，派李逵带领李衮与樊瑞、鲍旭、项充带兵一千埋伏济州东路，若听得连珠炮响，即杀奔北门取齐（第79回）。

梁山招安后，奉旨征辽。行前，李衮和项充手下的一名军校因不满厢官克扣朝廷赏赐的酒肉，与厢官发生争执，杀死了厢官，项充和李衮飞报宋江处置。攻打檀州，李衮奉命与凌振等六人去城下施放号炮。辽兵欲出城，被李衮和李逵等五人截住厮杀，不得出城。后又攻进城去（第83回）。攻打蓟州，李衮是宋江左军四十八首领之一（第84回）。宋江诈降辽国，到了霸州，李衮是随行十五头领之一（按：实为十四人），后里应外合取了霸州（第85回）。攻打幽州，卢俊义率领军马兵陷青石峪，由宋江一路人马去解救，李衮是头领之一，曾与辽兵厮杀（第86回）。辽国统军兀颜光在昌平布下混天阵，李衮和众人在宋江布置下撞杀进去，结果大败（第88回）。昌平失利后，宋江得九天玄女之法，与辽再战，李衮与李逵等五员战将护送雷车，攻击辽国中军（第89回）。

征田虎攻打陵川，李衮是步军首领之一，李衮和李逵等十数个头领率先抢进城去，大肆砍杀。卢俊义又令李衮和步军将士穿换敌人衣甲，攻打高平。由田虎降将耿恭赚开城门，杀进城去（第91回）。围困盖州，李衮与李逵等人和负责四门探听联络的游骑花荣等人互相策应（第92回）。打下盖州后，又兵分两路击田虎，李衮分拨到宋江一路（第93回）。从东路进军，攻壶关，李衮和李逵等四人是步兵标枪牌手首领。攻打昭德，李衮和李逵等四人领兵作为游兵，往来接应。李逵不听劝阻，去攻打会妖法的乔道清，李衮和鲍照、项充担心李逵有失，遂一齐杀上前去，结果中了妖法（第94回），全部被俘（第95

回），昭德城降后被放出（第97回）。宋江北征襄垣，李衮是三十一将佐之一（第98回）。田虎率军援襄垣受阻，中途折回，宋江密令李衮和鲁智深等五人截击，大败敌军（第100回）。

宋江奉旨攻王庆。攻山南城时，依吴用之计，让水军头领以粮船为饵，诱敌打开城西水门劫掠。张横等乘机在水下，将伏有李衮和鲍旭等二十个步军头领的船只推入城去，杀上岸去（第106回）。攻荆南纪山，初战不利，吴用拟智取。李衮同鲁智深等十四将领乘夜抄小路到纪山之后，乘敌出击，营内空虚之际，夺了敌营（第107回）。南丰城外大战时，李衮和李逵等四人两次与敌交锋，诈败诱敌深入。王庆突围，李衮与鲁智深等八位头领领兵截击（第109回）。

征方腊，宋江军屯扬州城外。有杨浦村陈将士与江南润州方腊的吕枢密联络图谋扬州。燕青依计扮作吕枢密帐前叶虞候带领解氏兄弟去见陈将士，陈氏父子醉倒后，解珍施放号炮，左右埋伏的头领一起动手杀了陈一家，李衮与鲁智深等十人配合从前面攻进村去。打润州，李衮和项充生擒敌将和潼（第111回）。攻下丹徒后，李衮是宋江率领下攻打常州、苏州的二十九偏将之一。攻打常州，折损了韩滔、彭玘二将，李逵报仇心切，次日李衮和鲍旭、李衮在李逵带领下，直逼常州城下。李逵杀入敌阵，李衮和鲍旭、项充策应。李逵、鲍旭要杀进城去，被李衮和项充挡住，回来后四人受赏。攻下常州，敌人反扑，李衮和关胜等十将迎敌（第112回）。

攻打无锡县，李衮与李逵等四人率先冲杀，攻入城去。在无锡、苏州间大战中，徐宁刺死敌将吕枢密后，李衮和李逵等四人杀出阵来，南兵大乱。李俊在太湖劫取了南军运送铁甲的船只，假冒敌船，进入苏州，李衮和李逵等六人领兵二百潜藏船内。进城后，杀将起来，里应外合，攻取了苏州（第113回）。攻打杭州，李衮是中路宋江所率第二队十七将佐之一，攻北关门、艮山门。张顺死后，宋江到灵隐寺追荐亡灵，引诱敌人，李衮与李逵等四人先行探路。行祭时，又让他们四人埋伏在北山路口，依计行事（第114回）。敌果然中计，来捉宋江，敌知道中计后，急忙退走。途中李衮和李逵等杀出，阵中李衮和项充杀死敌将元兴。围攻杭州，李衮是宋江率领下攻打北关门大路的二十一正偏将之一。与李逵等四人要活捉敌猛将元帅石宝，攻到城下，鲍旭战死。李衮和李衮护着李逵回来（第115回）。

攻下杭州后，兵分两路进击。李衮和其他三十五员将佐随宋江攻睦州和乌龙岭。途中攻桐庐，李衮和李逵等五人领兵由西路去桐庐劫寨。攻打乌龙岭，李衮和李逵、项充出哨探路，到了岭下，檑木炮石打将下来，不能前进，回来报于宋江（第116回）。宋江在乌龙岭下中了埋伏，吴用派李衮和秦明等十三人救援。攻乌龙岭不利，后访得一老人，宋江遂带领李衮和花荣等十二将佐由老人引路从小道绕过乌龙岭，直达睦州附近，敌人大惊。攻睦州，敌人来援。郑魔君杀死了王英夫妇。宋江大怒，率李衮和李逵、项充出阵，与敌将郑彪（郑魔君）交锋，郑魔君不敌败走。李衮三人不识路径，穷追不舍，结果李衮一跤跌翻在溪里，被南军乱箭射死（第117回），后封义节郎（第119回）。

段景住

段景住，人称"金毛犬"，赤发黄须，因得绰号。祖籍涿州人氏。平生靠北边盗马为生，盗得一匹"照夜玉狮子马"，段景住想献马给宋江，作为晋见之礼。路过凌州曾头市时，被曾家五虎夺去。段景住声言这是梁山宋公明的，反遭污言秽语，因之要去告诉宋江。接近梁山时，恰遇宋江自芒砀山办事回来，宋江把段景住带到山上。打曾头市，晁盖中箭而死。宋江为山寨之主后，让段景住和石勇、杨林管北地收买马匹（第60回）。段景住和石勇、杨林到北地买马。一日，关胜、林冲等攻打凌州胜利回山寨，坐船过渡时，段景住却突然跑来（第67回），对林冲等人说，他们在北地买了二百匹马，到青州被强人郁保四劫去，解往曾头市。杨林、石勇不知下落，到忠义堂后，又备说此事，山寨遂二攻曾头市（第68回）。梁山分头攻打东昌府、东平府，段景住随宋江攻打东平府（第69回）。

石碣天文载，段景住是七十二员地煞星中的地狗星。排座次时，段景住是四员军中走报机密步军头领之一（第71回）。高俅准备攻打梁山，打造战船，段景住和时迁受命潜入济州，火烧了城楼和西草场（第80回）。

梁山招安后征辽，因段景住熟悉北方道路，宋江命他带领军兵前进，他又献策：水陆并进，可取檀州，用其策（第83回）。攻打蓟州，

地狗星金毛犬段景住

段景住是宋江左军四十八首领之一（第84回）。宋江诈降辽国，段景住随吴用扮作百姓，赚开关口，杀进益津关，与众人一举攻占文安县（第85回）。攻打幽州，卢俊义率领军马兵陷青石峪。宋江一路人马去解救，令段景住和时迁、石勇、曹正四下打探消息，后来段景住和石勇遇到来报信的白胜，二人带他去见宋江（第86回）。

征田虎，攻盖州久久不下，段景住奉命与刘唐各率二百军士，各备火把，与其他首领配合，日夜鼓噪，行疑兵之计，使敌疲于奔命（第92回）。打下盖州后，又兵分两路击田虎，段景住分拨到宋江一路（第93回）。宋江军北攻襄垣，段景住是三十一将佐之一。阵中，鲁智深失踪，宋江令段景住和乐和等四人四处寻找（第98回），乘田虎救援襄垣之机，吴用令段景住和张清等九人去敌都威胜，诈称田虎回城。赚开城门，捉了田豹、田彪，段景住和乐和抢入城去，夺了南门，竖起宋军旗号（第100回）。

宋江奉旨攻王庆。攻山南城时，依吴用之计，让水军头领以粮船为饵，诱敌打开城西水门劫掠。张横等乘机在水下，将伏有段景住和项充等二十个步军头领的船只推入城去，杀上岸去（第106回）。

征方腊，攻下丹徒后，段景住是宋江率领下攻打常州、苏州的二十九偏将之一（第112回）。攻杭州，吴用要宋江派人乘船去杭州南门外江边放号炮，竖号旗，以乱敌人。段景住在张横、阮小七带领下与侯健前往（第114回）。船在钱塘江风水不顺，漂到海里，船被打破，段景住落水而死（第115回），后封义节郎（第119回）。

卢俊义

卢俊义，人称"玉麒麟"，是河北三绝，北京城里有名的卢大员外。一身好武艺，棍棒天下无对（第60回）。身高九尺如银，积祖豪门，疏财仗义，做事谨慎，非理不为，非财不取，已三十二岁。吴用扮作算命先生说卢俊义百日有血光之灾，必将尸首异处。要消灾，须去东南方巽地千里之外，又说有四句卦歌，可写下，以验所言不虚。卢俊义同意后，吴用便在白粉壁上写下：芦花丛里一扁舟，俊杰俄从此地游。义士若能知此理，反躬逃难可无忧。卢俊义信以为真，携带管家李固等车仗去泰山进香，兼做买卖，观看外地风光。途经梁山，头领李逵拦住去路，后又有鲁智深等六人，一个个诱卢俊义深入绝境，又被秦明等四人逼住，无路可走，上了李俊的船，又被三阮包围，船被张顺掀翻落水（第61回）。

张顺把卢俊义抱住拖上岸去，用轿子抬上梁山。宋江要卢俊义落草，坐第一把交椅，他不从。吴用遂让李固先回，告诉卢俊义已坐了梁山第二把交椅。卢俊义早有反心，壁上有四句诗为证，每句头上一字连起来就是"卢俊义反"。李固回到家与卢俊义妻子贾氏出首告了他。梁山众头领轮番宴请，卢俊义在梁山盘桓两月有余，后回家，在北京城外遇到自己的心腹燕青，燕青备述李固、贾氏通奸，出首告他等事。卢俊义不相信，反倒怀疑燕青。回家后即被捉入狱，李固要置

天罡星玉麒麟卢俊义

卢俊义于死地，以五百两金子贿赂北京大名府两院押牢节级蔡福、蔡庆两兄弟。柴进奉宋江之命，携金一千两也去贿赂二人。利威并施，让他们保护卢俊义。蔡福、蔡庆就用这些金子买通了梁中书和张孔目，判他刺配沙门岛。途中押解卢俊义的董超、薛霸收了李固贿赂要害卢俊义性命，生死瞬间为燕青所救，住在客店，又被官军捉去。二次入狱，卢俊义被判斩刑。在执行的紧急关头，石秀从楼上跳下，劫法场，救了卢俊义（第62回）。石秀和卢俊义二人在城内走投无路，被做公的用挠钩搭住，投入死囚牢（第63回）。

元宵节梁山人马里应外合攻大名府，卢俊义被柴进、乐和、孔明、孔亮救出。回家后，不见李固和妻子，便将金银财宝装车送上梁山。燕青、张顺拿了卢俊义的妻子贾氏和李固，卢俊义让燕青监下看管，听候发落（第66回）。宋江让卢俊义坐梁山第一把交椅，他执意不肯，后于燕青一处安歇。在忠义堂前将李固、贾氏凌迟处死（第67回）。二次攻打曾头市，卢俊义请缨出征，宋江让卢俊义做先锋，吴用故意把他调去带领燕青引领五百步军，平川小路听令。

曾头市破后，史文恭逃跑途中，被卢俊义捉住，送上山寨。宋江为遵守晁盖谁捉住史文恭谁做山寨之主的遗言，坚持让卢俊义坐第一把交椅，他执意不从（第68回）。宋江要攻打东昌府和东平府劫夺钱粮，二人拈阄，各自带兵攻打一座城池，先攻下者为山寨之主，卢俊义拈着了东昌府。宋江给卢俊义调拨了将佐人马，去打东昌府（第69回）。攻城失利，吴用派白胜告急，宋江人马来援，卢俊义迎接宋江（第70回）。

石碣天文载，卢俊义是三十六员天罡星中的天罡星。排座次时，卢俊义和宋江是梁山泊总兵都头领，住正厅西边房内（第71回）。燕青去泰安州与任原相扑，李逵随行。燕青胜了任原，任原的徒弟一哄而上，抢了利物。李逵一怒之下打将起来，有人认出了卢俊义，结果官军来攻，李逵和燕青打出庙来，由卢俊义等八位头领接应而出（第74回）。殿前太尉陈宗善奉旨来梁山招安，宋江率众头领迎接，萧让读完皇帝诏书。李逵却从忠义堂梁上跳下，夺过诏书撕碎，要打陈太尉，被宋江和卢俊义拦住。一些头领见御酒实是村醪白酒，受了愚弄，一齐发作，要动手。宋江和卢俊义连忙护送陈太尉等下山（第75回）。童贯二打梁山，吴用布置十面埋伏，卢俊义和石秀、杨雄为一部，生擒了官军将领酆美（第77回）。高俅两次攻打梁山失败后，天子降诏招安。卢俊义曾提醒宋江，可能是高俅的阴谋，不应前去（第79回）。卢俊义和宋江、吴用、公孙胜率人马到济州城下听旨。官军第三次攻打梁山，卢俊义指挥陆上人马（第80回）。宿太尉奉旨招安，卢俊义和宋江等迎旨，并和宋江等率众去东京面见皇帝（第82回）。

梁山招安后，奉旨征辽，卢俊义是副先锋，宋江等先回山寨安排善后事宜，卢俊义在京师驻扎。宋江回来，卢俊义接至大寨。征辽，打檀州，卢俊义奉命在西南方待命进击（第83回）。卢俊义率军攻打玉田县，依照朱武布置对敌。张清中箭后，卢俊义令人送檀州医治，阵中兵马被辽兵冲散，途遇四个番将厮杀，并将其中的耶律宗霖杀死，后与诸将会合，屯守玉田县，之后被围，宋江来救，杀退辽兵。攻蓟州，兵分两路，卢俊义是右军先锋，总领三十七头目。攻下蓟州后，宋江命卢俊义驻扎玉田（第84回）。

计取霸州前，宋江邀卢俊义和吴用、朱武到蓟州，共商诈降之策。吴用诈降，赚开益津关，卢俊义领兵赶到，夺了文安县，又以追杀叛臣宋江之名追到霸州城下。宋江命林冲、花荣、朱仝、穆弘出战，四人佯败，引卢俊义率军杀入霸州城，夺了霸州，后仍以一半军马回蓟州驻扎（第85回）。卢俊义和宋江不听吴用、朱武警告劝阻，决意去打幽州，结果中计，与宋江失去联系，卢俊义与十二头领兵陷青石峪，后由宋江所部人马救出。卢俊义带领众头领会蓟州歇息（第

86回）。辽国统军兀颜光亲率大军夺幽州，宋江急调卢俊义所率部众来幽州会战，驻扎在永清县界（第87回）。昌平失利后，宋江得九天玄女之法，与辽再战，卢俊义引领一直军马随着雷车，直奔辽军中军。辽降后，宋江去五台山参禅，卢俊义掌管军马，次第先行（第89回）。宋江从五台山回来，卢俊义去迎接，见宋江所得智真长老偈语，也不解其意（第90回）。

征田虎前，卢俊义与宋江朝见天子请缨，封卢俊义为征田虎的副先锋，与宋江等统领中军，他一举攻克陵川。又让降将耿恭率李逵等人化装成敌兵，赚开城门，攻下高平。攻打盖州，卢俊义与宋江等统领中军（第91回）。攻城不克，卢俊义和宋江、吴用在城外观察地理形势（第92回）。打下盖州，卢俊义与宋江、吴用共议，兵分两路合击田虎事。卢俊义管领正偏将四十员为一路（第93回）。由西路进攻，宋江将复制的许贯忠献的一幅山川形势图送给卢俊义备用，遂率军兵五万出征（第94回）。攻晋宁急切不可下，卢俊义利用雾天，让军士以土囊堆积城下登城，克晋宁。敌殿帅孙安支援晋宁，卢俊义与孙安大战一百余合，后用绊马索捉了孙安，他亲释其缚，孙安降顺。之后卢俊义又放孙安去说降了七将兵，又派孙安随戴宗去宋江处，游说会妖术的乔道清归顺。卢俊义又令宣赞等四人守晋宁，自领其余将佐军马进攻汾阳（第97回）。

攻下汾阳后，敌将马灵来援，此人会妖法。卢俊义军失利，退居城内。公孙胜来助卢俊义破马灵妖术，卢俊义按公孙胜意见，部署将佐分兵出击。卢俊义率秦明等五人出南门（按：应为北门）攻田豹，杀死了敌将索贤、党世隆、凌光。鲁智深、戴宗捉得马灵来献，他亲释其缚，马灵降。卢俊义让戴宗、马灵同去参拜宋江，卢俊义让宣赞等人镇守汾阳府，又率兵攻克介休、平遥，让韩滔、彭玘守介休，孔明、孔亮守平遥。卢俊义率领人马围攻太原，因雨受阻。李俊等人来献策，卢俊义听后大喜（第99回）。李俊等人水灌太原城后，卢俊义入城安抚，将守城敌将项忠、徐岳斩首示众，又与花荣两面夹击，生擒扎营绵山的敌右丞相卞祥。卢俊义和关胜兵合一处，将沁源包围。攻破后，统领大军驰援进攻田虎都城威胜的人马。杀进城去，与张清合兵一处，占了威胜。探马飞报敌将房学度包围了防守榆社的索超、汤隆。卢俊义令关胜等七人领兵解救。攻下威胜后，卢俊义迎接宋江等进城（第100回）。

皇帝颁诏赏赐卢俊义和宋江为第一等，并委卢俊义为平西副先锋，去征讨王庆（第101回）。攻打宛州，令张清等十七将佐为前部。卢俊义和宋江、吴用等管领其他将佐，离了驻地方城山，到宛州城外十里驻扎（第105回）。攻山南城，兵分三队，卢俊义和宋江头领中队，后又兵分两路，一攻荆南，一攻西京。卢俊义头领二十四员战将攻西京（第106回），兵至西京城南三十里外伊阙山扎寨。依朱武建议，在山南，摆开循环八卦阵，敌人要斗阵法，摆了六花阵，朱武应变为八阵图，让卢俊义令杨志等三人率领披甲军马一千荡开敌阵西方门旗，他乘机率军掩杀。大败敌军（第107回）。杨志等人失踪，卢俊义派解珍等四人分头寻找。敌人来援西京，卢俊义部署迎敌，亲自出战，燕青劝阻不听，与敌都督杜壆战五十回合，不分胜负。孙安助战，砍下杜壆一臂，被卢俊义一枪结果了性命，后卢俊义又被妖法打败，幸得燕青事先做了浮桥，驰窜而去。之后乔道清破了妖法，攻下西京。卢俊义听说宋江生病，率朱武等二十员将佐去探望，又帮助吴用进攻京南城（第108回）。

攻南丰，在城外十里大败敌军，王庆欲回城内固守。卢俊义和杨雄、石秀追杀上来，阵中卢俊义杀死敌将方翰，来捉王庆，遇上了会剑术的敌将李助，抵挡不住，幸亏公孙胜破了剑术，卢俊义乘机上前捉了李助（第109回）。胜王庆后，班师回京，朝见天子，封卢俊义为宣武郎，带御器械，行营团练使。方腊反后，宋江等主动请缨征讨，卢俊义又被封平南兵马副总管，平南副先锋（第110回）。打下丹徒，兵分两路，卢俊义率领十五正将和三十二偏将攻打宣、湖二州，后攻下宣州（第112回）。攻下湖州，卢俊义分一半人马让林冲统领攻打独松关，进攻不力，卢俊义又和朱武去支援。

离开杭州时，燕青私自劝卢俊义，放弃功名，隐姓埋名，以终天年，并引证"狡兔尽，走狗烹；飞鸟尽，良弓藏"的历史教训。卢俊义不听劝诫，燕青别他而去。进京后，与宋江一起引领众将朝见皇上，加授武功大夫，庐州安抚使兼兵马副总管（第119回）。卢俊义带了几个随行伴当赴任，蔡京、童贯、高俅、杨戬四人欲加害他和宋江，着心腹寻觅了两个庐州土人，写状诬告卢俊义在庐州招兵买马，积草屯粮，结连宋江，意欲造反。皇帝不信，要亲自询问，蔡京、童贯又奏，要将卢俊义赚来东京，赐以御酒御膳，好言抚慰，以观虚实，皇帝允准。卢俊义到了东京，朝见皇帝，天子当面赐膳，但四奸臣已在饭菜里下了水银。卢俊义返任途中，便觉腰肾疼痛，动举不得，不得骑马，只好坐船。行至淮河，夜醉立在船头消遣，站立不牢，失脚坠入深水而死，后葬于泗水高原深处（第120回）。

燕 青

　　燕青，人称"浪子燕青"，北京土居人氏。自幼父母双亡，排行第一，卢俊义家中长大。六尺以上身材，二十四五岁年纪。雪白皮肉，一身花绣，无人可比。吹、弹、唱、舞，拆白道字，顶针续麻，无有不能。又会诸路方言，百艺行话，更兼一身本事，箭到物落，一箭不空。有赛锦标社，利物必归于燕青。且百伶百俐，道头知尾。燕青是卢俊义的心腹。卢俊义相信了假扮阴阳先生吴用的话，要到泰山进香，燕青劝阻，并怀疑阴阳先生是梁山强人所扮，卢不听，让总管家李固随行，燕青被留下照料一切（第61回）。

　　卢俊义被劫上梁山后，李固先回，与卢妻贾氏告卢俊义谋反，坐了梁山第二把交椅，并将燕青逐出卢府，流落街头行乞。在城外恰遇卢俊义回来，燕青向主人备述一切。李固、贾氏通奸，诬告卢俊义，卢俊义不信，反而怀疑燕青有不良行为。卢回家被捉，判刺配沙门岛，押解的公人收了李固贿赂，途中要害卢俊义。燕青射死了公人董超、薛霸，救了卢俊义。二人住进村中一家客店，燕青出外打猎充饥，卢俊义又被公差捉去。燕青要去梁山报信，路遇两位行人，燕青要行劫，反被人捉。原来这两人是杨雄、石秀，正为打探卢俊义消息而来。燕青即随杨雄上山报告情况（第62回）。

　　元宵节梁山人马要里应外合攻打大名府，燕青带领张顺从水门入

天巧星浪子燕青

城，直奔卢俊义家，捉拿李固和贾氏，后在船上抓住了二人。卢俊义让燕青和张顺监管（第66回）。上梁山后，燕青和卢俊义一处安歇（第67回）。攻打曾头市，吴用让卢俊义带领燕青，引一部步军，平川小路听号。曾头市攻破后，史文恭逃跑时途中和燕青遭遇（第68回）。梁山分兵攻打东昌府和东平府，燕青随卢俊义攻打东昌府（第69回）。燕青射中了东昌府张清的副将丁得孙的马蹄，丁落马，被吕方、郭盛生擒（第70回）。

石碣天文载，燕青是三十六员天罡星中的天巧星。排座次时，燕青是十员步军头领之一。住第二坡右一带房内。梁山重阳菊花会上，燕青弹筝助兴（第71回）。元宵节去东京观灯，燕青和李逵扮作伴当，挑着行李，跟随宋江、柴进同往。在东京万寿门外住下。燕青和柴进先进城探听情况。在酒店外，按柴进嘱咐，邀请一王班直上楼与柴进三人一起喝酒，把王班直官麻翻。柴进换了班直官衣服去宫内打探。

回来后，二人回店。十四日晚燕青扮作小闲随宋江、柴进再次进城，宋江要见名妓李师师，又是燕青接洽。燕青和宋江、柴进、戴宗正和李师师饮茶，天子到来，四人急忙退出。二次去李师师家，仍是燕青接洽，又遇到天子到来，三人躲起。这时李逵却在门外放起火来，宋江怕关了城门出不去，与柴进、戴宗先走，留下燕青陪李逵。后鲁智深、武松、朱仝、刘唐把他和李逵、史进、穆弘救出城去，宋江仍让燕青陪着李逵（第72回）。

李逵一人提着斧子去劈城门，燕青把李逵擷翻，李逵跟着燕青不敢从大路回梁山，只得转路到了陈留县。一天来到四柳村狄太公庄上宿歇，狄太公诉说有一女儿中了邪祟。李逵大言能降妖除怪，骗吃一顿，燕青在一旁看李逵做戏，后李逵杀了狄太公的女儿和她的奸夫（故意说中邪，实则隐瞒奸情），二人离去。在距梁山七八十里的刘太公庄上住宿，太公有一女儿被叫宋江的两强人夺去，李逵信以为真。

燕青再三给李逵解释，可能是有人假托冒名。李逵不听，回到梁山，要杀宋江，燕青说明原委。宋江远去对质，结果真相大白。宋江让燕青协助李逵去捉拿假宋江，最后杀死了假冒宋江的二人，回山寨复命（第73回）。

燕青去泰安州与任原相扑，李逵要随行。燕青胜了任原，把任原扔下台去几乎摔死。任的徒弟一哄而上，抢了利物。李逵一怒之下打将起来，有人认出了李逵，结果官军来攻。燕青和李逵打出庙来，由卢俊义等八位头领接应而出，回了梁山（第74回）。童贯率官军攻打梁山泊，梁山泊以九宫八卦阵对敌，燕青专一护持中军（第76回）。高俅被梁山活捉释放，梁山派萧让和乐和随高俅去东京，代表梁山向朝廷面陈衷曲。去后，久而无信，吴用建议派人探听虚实。燕青自荐去东京，戴宗偕行，住妓女李师师家，以李师师姑舅兄弟之名得见天子，获皇帝赦书，并向皇帝说明两次招安真相，后又去见了宿太尉，呈上被梁山留作人质的闻参谋的书札。燕青和戴宗又去高俅府中，见了乐和，夜里把萧让、乐和接出去，回了梁山（第81回）。

梁山招安后，奉旨征辽。行前，一名军校因不满厢官克扣朝廷赏赐的酒肉，争执中，杀死了厢官。宋江令燕青和戴宗进城面见宿太尉说明真相，上达天子（第83回）。征辽，卢俊义在玉田被围，燕青在城上射死了辽将耶律宗云。攻打蓟州，燕青是卢俊义右军三十七头目之一（第84回）。昌平失利后，宋江得九天玄女之法，与辽再战。燕青和其他五员战将任务是直取辽军中军，擒辽主（第89回）。辽降，凯旋回东京，途中遇隐居的故友许贯忠，至其家叙阔别之情。两日后告别，追赶大军至东京（第90回）。

征田虎时，燕青献上许贯忠送给他的三晋山川城池关隘图（第91回）。打下盖州后，又兵分两路击田虎，燕青分拨到宋江一路（第93回）。

宋江奉旨征王庆，攻西京，燕青是卢俊义统领下的二十四员战将之一（第106回）。打西京，燕青有梦不祥，劝卢俊义不要亲自出战，卢不从。燕青带领军士伐木做了一座浮桥，卢军马败后，幸亏这座浮桥救了卢俊义性命（第108回）。攻南丰，在城外布下九宫八卦阵，燕青专一护持中军（第109回）。燕青胜王庆，班师回京途中，望空射雁，箭箭不空。元宵节与李逵进京城游耍，听到方腊在江南造反消息，二人立即回去，向吴用报告（第110回）。

征方腊兵至扬州，有定浦村陈将士与江南润州方腊手下吕枢密联络图谋扬州。燕青依计扮作吕枢密帐前叶虞候带领解珍、解宝去见陈将士，将陈氏父子灌醉后杀死（第111回）。攻下丹徒后，兵分两路，燕青是卢俊义率领下攻打宣、湖二州的十五员正将之一（第112回）。燕青奉卢俊义之命到秀洲向宋江汇报军情。柴进要去方腊营内当细作，要燕青同往，柴进扮作白衣秀士，燕青扮作仆人（第114回）。辗转到了睦州，见了方腊的右丞相等人，又去清溪县由右丞相引荐见了方腊。柴进招为驸马，燕青改名云璧，人称云奉尉（第116回）。宋江军围攻方腊宫苑帮源洞。方腊侄子方杰出阵，关胜、花荣、李应、朱仝围攻，方杰退走，被柴进拦住退路，一枪刺中。燕青赶上去，一刀结果了方杰性命，后又抢入宫内放起火来。征方腊后，班师回京，大军离开杭州时，燕青劝卢俊义放弃功名，隐姓埋名，以终天年，并引证"狡兔尽，走狗烹；飞鸟尽，良弓藏"的历史教训。卢俊义不听劝诫，燕青别他而去，行前给宋江留下一信，不知去向（第119回）。

蔡 福

蔡福，人称"铁臂膊"，北京大名府两院押牢节级带管刽子。北京土居人氏。因手段高强，因得绰号。卢俊义被陷害入狱，卢俊义管家李固要置卢俊义于死地，以五百两金子贿赂蔡福。柴进奉宋江之命，携金一千两贿赂蔡福。利威并施，让蔡福保护卢俊义。蔡福和弟弟蔡庆商量后，就用这些金子上下使用，买通了梁中书和张孔目，判卢俊义刺配沙门岛，途中为燕青所救。卢俊义二次入狱，判斩刑，由蔡福和弟弟执行，紧急关头，石秀从楼上跳下，劫法场，救了卢俊义。蔡福和弟弟逃走（第62回），卢俊义、石秀被捉后，蔡福好酒好肉看守他们（第63回）。梁山军马里应外合攻进大名府，卢俊义、石秀被救出。蔡福和蔡庆跟随柴进回家保护老小，收拾家私后，全家上了梁山，并提醒柴进：梁山军马不要伤害大名百姓（第66回）。上山后，宋江安顿了蔡福的老小（第67回）。

石碣天文载，蔡福是七十二员地煞星中的地平星。排座次时，蔡福和蔡庆专管行刑的刽子（第71回）。童贯率官军攻打梁山泊，梁山泊以九宫八卦阵对敌，蔡福在中军（第76回）。

梁山招安后，奉旨征辽，攻打蓟州，蔡福是宋江左军四十八首领之一（第84回）。昌平失利后，宋江得九天玄女之法，与辽再战，蔡福是攻辽国太阳左军阵的七员大将之一（第89回）。

地平星铁臂膊蔡福

征田虎，打下盖州后，又兵分两路击田虎，蔡福分拨到宋江一路（第93回）。宋江北征襄垣，蔡福是三十一将佐之一（第98回）。田虎率军救援襄垣，吴用却令蔡福和张清之妻琼英等九人领兵去敌都城威胜，诈称田虎回城，拿下守城的田豹、田彪，蔡福和王定保等四人连夜将二人解往襄垣（第100回）。

宋江奉旨征王庆，攻打南丰，在城外布下九宫八卦阵，蔡福和蔡庆等在中央阵护持中军花荣（第109回）。

征方腊，打下丹徒后，兵分两路，蔡福是宋江率领下攻打常、苏二州的二十九偏将之一（第112回）。攻杭州，宋江所率兵马，兵分三路，蔡福是中路宋江所率第二队十七将佐之一，攻北关门、艮山门（第114回）。二次部署攻打杭州，蔡福仍是宋江率领下攻北关门大路的二十一员正偏将之一（第115回）。破杭州后，兵分两路，蔡福和其他三十五员将佐随宋江攻打睦州和乌龙岭（第116回）。宋江攻睦州，吴用率兵策应，蔡福和吕方等十三人留守桐庐县营寨（第117回）。攻方腊都城清溪时受重伤，医治不痊而死（第118回），后封义节郎（第119回）。

蔡 庆

蔡庆，人称"一枝花"，生来爱戴一枝花，因得绰号。北京土居人氏，小押狱。卢俊义被陷害入狱，卢俊义管家李固要置卢俊义于死地，以五百两金子贿赂蔡庆哥哥蔡福。柴进奉宋江之命，携金一千两贿赂蔡庆哥哥，利威并施，让他保护卢俊义。蔡福委决不下，找蔡庆商量，蔡庆出主意就用这些金子上下使用，买通了梁中书和张孔目，判卢俊义刺配沙门岛，途中为燕青所救。卢俊义二次入狱，判斩刑，由蔡庆和哥哥执行，紧急关头，石秀从楼上跳下，劫法场，救了卢俊义。蔡庆和哥哥逃走（第62回）。卢俊义、石秀被捉后，蔡庆好酒好肉看守他们（第63回）。梁山军马里应外合攻进大名府，卢俊义、石秀被救出。蔡庆和蔡福跟随柴进回家保护老小，收拾家私后，全家上了梁山（第66回）。上山后，宋江安顿了蔡庆的老小（第67回）。

石碣天文载，蔡庆是七十二员地煞星中的地损星。排座次，蔡庆和蔡福专管行刑的刽子（第71回）。童贯率官军攻打梁山泊，梁山泊以九宫八卦阵对敌，蔡庆在中军（第76回）。

梁山招安后，奉旨征辽，攻打蓟州，蔡庆是宋江左军四十八首领之一（第84回）。昌平失利后，宋江得九天玄女之法，与辽再战，蔡庆是攻辽国太阴右军阵的七员大将之一（第89回）。

征田虎，打下盖州后，又兵分两路击田虎，蔡庆分拨到宋江一路

地损星一枝花蔡庆

（第93回）。宋江北征襄垣，蔡庆是三十一将佐之一（第98回）。田虎率军救援襄垣，吴用却令蔡庆和张清之妻琼英等九人领兵去敌都城威胜，诈称田虎回城，拿下守城的田豹、田彪，蔡庆和王定保等四人连夜将二人解往襄垣（第100回）。

宋江奉旨征王庆，攻打南丰，在城外布下九宫八卦阵，蔡庆和蔡福等在中央阵护持中军花荣（第109回）。

征方腊，宋江军马扮作敌军渡江取润州，蔡庆是第三拨船上十员正将之一（第111回）。征方腊，打下丹徒后，兵分两路，蔡庆是宋江率领下攻打常、苏二州的二十九偏将之一（第112回）。攻杭州，宋江所率兵马，兵分三路，蔡庆是中路宋江所率第二队十七将佐之一，攻北关门、艮山门（第114回）。二次部署攻打杭州，蔡庆仍是宋江率领下攻北关门大路的二十一员正偏将之一（第115回）。破杭州后，兵分两路，蔡庆和其他三十五员将佐随宋江攻打睦州和乌龙岭（第116回）。宋江攻睦州，吴用率兵策应，蔡庆和吕方等十三人留守桐庐县营寨（第117回）。攻下方腊都城清溪后，宋江让蔡庆将方腊的马步亲军都太尉骠骑上将军杜微剖腹剜心，祭祀战死的众将（第118回）。

征方腊后，班师回京，官授武奕郎、都统领（第119回）。蔡庆跟随关胜回北京为民（第120回）。

宣　赞

宣赞，人称"丑郡马"，生得面如锅底，鼻孔朝天，卷发赤须，彪形八尺。使口钢刀，武艺出众。先前曾在王府做过郡马，人呼丑郡马。因对连珠箭赢了番将，郡王招宣赞为婿，郡主嫌宣赞丑陋，怀恨而亡，因此不得重用，只在京城做一个兵马保义使。梁山兵马打大名府，梁中书写信给蔡京求救。蔡京召集百官商量对策，宣赞推荐关胜为上将，攻打梁山泊。蔡京命宣赞为使，星夜赶往蒲东去请关胜。关胜到京后，与宣赞率兵限日起行，杀奔梁山泊（第63回）。梁山军马回兵保山寨，宣赞在梁山泊边上拦截，与花荣交手，花荣三箭都不能伤他。宣赞驰马回阵，报于关胜，后与秦明、孙立战，被秦明一棍搠下马来被捉，这时关胜、郝思文也被捉，三人被解上梁山山寨。宋江亲解其缚，三人落草入伙。次日，率旧部与众头领去打北京，围攻敌将李成大胜（第64回）。

元宵节里应外合攻打大名府，救卢俊义、石秀。宣赞是八路军马中第三队前部头领，关胜手下的二将之一。李成、梁中书逃出城来，宣赞和郝思文在关胜带领下首先截击（第66回）。大名失陷，蔡京举荐凌州团练使单廷珪、魏定国攻打梁山，他随关胜率兵去凌州迎敌。在关胜与单廷珪、魏定国凌州大战时，宣赞和郝思文被捉，解往东京途中，被李逵和鲍旭、焦挺所救。五人又去攻打凌州（第67回）。梁

地傑星醜郡馬宣贊贊

地杰星丑郡马宣赞

山分头攻打东昌府、东平府，宣赞随卢俊义攻打东昌府（第69回），被东昌府张清用石子打中嘴边，翻身落马，被人救回（第70回）。

石碣天文载，宣赞是七十二员地煞星中的地杰星。排座次时，宣赞是十六员马军小彪将兼远探出哨头领之一。与关胜、徐宁、郝思文把守梁山正东旱寨（第71回）。童贯率官军攻打梁山泊，梁山泊以九宫八卦阵对敌，宣赞是八阵中东壁人马左手副将（第76回）。

梁山招安后，奉旨征辽。玉田大战，军马被辽军冲散，宣赞和关胜等五人后又与卢俊义会合。攻打蓟州，宣赞是卢俊义右军三十七头领之一（第84回）。攻打幽州，兵分三路，关胜率领宣赞和郝思文为左翼（第86回）。昌平失利后，宋江得九天玄女之法，与辽再战，宣赞是攻辽国土星阵主将关胜辖下八员副将之一（第89回）。

征田虎，攻盖州，宣赞是左翼六首领之一（第91回）。与林冲等负责攻打东门，徐宁等进城后，占了东门，放宣赞和林冲等人马入城（第92回）。

打下盖州后，又兵分两路击田虎，宣赞分拨到卢俊义一路（第93回）。攻下晋宁后，宣赞与郝思文等四人领兵镇守（第97回）。在与敌妖将马灵大战时，卢俊义退守汾阳城中。公孙胜来破妖术，宣赞和秦明等五人由南门（按：当为北门）杀出，迎战敌将田豹，后与众将杀死敌将索贤、党世隆、凌光，与郝思文等四人镇守汾阳府（第99回）。

奉旨征王庆，攻打宛州时，宣赞与关胜等十人驻守宛州之东，防止南来敌军救援。攻下宛州，宣赞和花荣等六人辅助陈安抚镇守（第105回）。敌人分三路来犯，宣赞按照萧让的"空城计"，打开西门，宣赞与郝思文伏兵门内，敌人怀疑有诈，正退兵时，他等从城内杀出，大败敌军（第106回）。攻南丰，在城外十里摆下九宫八卦阵，其中一阵主将是关胜，宣赞和郝思文分列左右（第109回）。

征方腊，攻润州里应外合，城里打响后，宣赞与关胜等十员战将渡江登岸，杀进城去（第111回）。打下丹徒后，兵分两路，宣赞是宋江率领下攻打常、苏二州的二十九偏将之一。宣赞在关胜带领下，十一员将佐先行，直逼常州城下，阵中关胜马失前蹄，跌下马来。徐宁带领宣赞和郝思文将关胜救回。常州城破，敌将沈抃急忙回城保护老小，被宣赞和郝思文一枪刺下马去，被众军活捉（第112回）。攻苏州，与敌将郭世广鏖战，彼此相伤，都死于饮马桥下（第113回），后封义节郎（第119回）。

关 胜

关胜，人称"大刀关胜"，关羽嫡派子孙。蒲东人，生得与云长相似，八尺五六身躯，面如重枣，凤眼朝天，三十八岁。使一口青龙偃月刀，自幼读兵书，深通武艺，有万夫不当之勇，任蒲东巡检。

梁山军马攻打大名府，梁中书写信给蔡京救援，宣赞推荐关胜为上将，攻打梁山。关胜和宣赞、郝思文等杀奔梁山而来（第63回）。到了梁山脚下，梁山的张横偷营，被关胜捉住。"三阮"、张顺来救张横，结果阮小七也被捉住。梁山军马从北京回来保山寨，关胜与秦明、林冲大战，眼看要输，宋江却鸣金收兵。关胜心生疑窦，有敬宋江意。此时呼延灼来军帐拜访，说宋江有归降朝廷之意，暗约关胜里应外合，剪除梁山众头领。

关胜信以为真，月夜由呼延灼带领偷营，结果中计被俘，落草梁山，请缨与宣赞、郝思文攻打北京，三人围攻李成，大胜（第64回）。元宵节里应外合攻打大名府，救卢俊义、石秀。关胜是八路军马中第三队前部头领。李成、梁中书逃出城来，关胜带领宣赞、郝思文首先截击（第66回）。大名失陷，蔡京举荐凌州团练使单廷珪、魏定国攻打梁山。关胜率兵去凌州迎敌，结果副将宣赞、郝思文被捉，后关胜战胜单廷珪，单廷珪投降，又和魏定国大战。魏用火攻，关胜大败，后关胜和单廷珪劝说魏定国入伙，魏定国归降梁山（第67回）。二打

天勇星大刀关胜

曾头市，关胜留守山寨，后宋江调他到中军驻扎。青州、凌州兵马来救曾头市，他奉命和单廷珪、魏定国迎战青州来军。胜利后，回到宋江处（第68回）。梁山分头攻打东昌府、东平府，关胜随卢俊义攻打东昌府（第69回）。雷横、朱仝被张清用石子打伤，关胜纵马来救，刚救回两人，张清一石子打来，正中刀口。关胜无心恋战，勒马便回（第70回）。

石碣天文载，关胜是三十六员天罡星中的天勇星。排座次时，关胜是马军五虎将之一。关胜与徐宁、宣赞、郝思文把守梁山正东旱寨（第71回）。宋江上元节晚上去东京观灯，李逵大闹东京，宋江匆匆逃出，吴用派关胜等五虎将到城外接应。宋江等从城内逃出后，关胜五人兵临城下，使高廉不敢出城追赶（第72回）。

李逵大闹东京回山寨，路遇刘太公，家有一女儿，言说被冒充宋江的二人劫走。李逵听后大怒，回山寨要杀宋江。被他等五虎将拦住（第73回）。陈太尉奉旨招安，关胜有疑虑，与宋江意见不合（第75回）。童贯率官军攻打梁山泊，梁山泊以九宫八卦阵对敌，关胜是八阵中东壁军马主将（第76回）。童贯二次攻打梁山泊，吴用布下十面埋伏，关胜和秦明是一部，他跟敌军将领酆美交锋（第77回）。高俅二次攻打梁山，呼延灼、张清捉了高俅将领韩存保。敌将张开、梅展赶来救了韩存保，关胜和秦明截住与之厮杀，夺回了韩存保（第79回）。高俅三打梁山，关胜与秦明、林冲、呼延灼埋伏陆上。追杀官军将领项之镇、张开、周昂、王焕（第80回）。

梁山招安后，奉旨征辽，攻檀州，关胜是前部前锋，引军杀向檀州密云县，后又调来攻檀州。奉命与林冲从西北攻打，眼见城破，辽国洞仙侍郎和番将咬儿惟康出北门二里，撞上关胜和林冲（第83回）。厮杀一阵，敌将死命撞出去，关胜和林冲杀进城去。玉田大战，军马被辽军冲散，后关胜和宣赞等五人又与卢俊义会合。攻打蓟州，关胜是卢俊义右军三十七头领之一（第84回）。宋江率大军攻打幽州，辽将贺统军亲自出战，关胜和贺统军战三十余合，关胜纵马追赶，结果宋江军马中计，被截为两段，宋江与卢俊义失去联系。宋江派关胜和呼延灼、林冲、秦明分头去找卢俊义人马，最后困于青石峪的卢俊义人马被解救出来。再次攻打幽州，兵分三路，关胜率领宣赞、郝思文为左翼。至幽州城下，与辽伏兵太真驸马厮杀（第86回）。辽国统军兀颜光进攻幽州，在昌平摆下混天阵，宋江摆九宫八卦阵对敌。关胜在左方，从左方撞退压阵辽兵（第88回）。昌平失利后，宋江得九天玄女之法，与辽再战，关胜是攻辽国土星阵左右撞破黄旗军的主将，下辖七副将。关胜攻入敌阵，追赶辽国统军兀颜光，在花荣、张清配合下，杀死了兀颜光。辽国投降，关胜是护送宿太尉去辽国颁旨的十员上将之一（第89回）。

征田虎，关胜是前部首领之一。与呼延灼、公孙胜镇守卫州（第91回）。宋江攻打壶关受阻，关胜给宋江写信，介绍了与壶关成掎角之势的抱犊山守将唐斌，二人有结义之交。唐斌有意献关立功，后来果然在唐斌里应外合下，攻下壶关（第94回）。新官到任交接后，关胜离开卫州，到了昭德，见了宋江，又奉命和呼延灼、索超、李俊等陆军、水兵攻取了榆社、大谷（第99回），又和卢俊义合兵一处，围了沁源，攻下沁源，到了敌都威胜。这时索超、汤隆在榆社被敌将房学度包围，卢俊义命关胜和秦明等七人领兵解救，内外夹攻杀了房学度，大败敌军，后回到威胜（第100回）。

宋江军奉旨征王庆。攻打宛州时，关胜与秦明等十人驻守宛州之东，防止南来敌军救援。后与众将大败自安昌、义阳来的援兵，擒敌将柏仁、张怡，送至宋江大寨处死，宋江标写其功劳（第105回）。攻荆南纪山，初战不利。吴用拟智取，关胜奉命于朱仝等七人屯兵于营寨之后，以防敌人援兵（第107回）。攻南丰，在城外十里摆下九宫八卦阵，关胜是其中一阵主将（第109回）。

征方腊，攻润州，城中打响后，关胜和呼延灼等十员战将渡江登岸，冲杀入城。攻丹徒，关胜是十员正将之一。去丹徒途中遇到敌将元帅邢政，关胜出马与之交锋（第111回），他手起刀落将邢政砍于马下。打下丹徒后，兵分两路，关胜是宋江率领下攻打常、苏二州的十三员正将之一。关胜率十员将佐先行，直逼常州城下，与敌将钱振鹏大战，将钱杀死。阵中关胜马失前蹄，跌下马来，徐宁等将他救回。攻下常州后，敌军反扑，关胜和秦明等十将迎敌（第112回），关胜引兵马攻下无锡。苏州方腊的三大王方貌领兵反攻，在无锡、苏州间大战，关胜与花荣等八将迎敌。关胜和敌将刘赟交锋（第113回）。

攻杭州，宋江所率兵马，兵分三路，中路负责攻北关门、艮山门，关胜是中路第一队六个正偏将之一。关胜第一个哨探到杭州东新桥下，不见南军，心中怀疑，汇报宋江（第114回）。宋江到北关门外搦战，敌猛将元帅石宝出战，关胜出阵迎敌，战二十余合，石宝拨马而回，关胜怕中计，不敢追赶，初攻杭州不利。吴用设计智取杭州，引诱敌人远离城郭，然后放号炮攻城。关胜带少许兵马到北关门下搦战。敌将石宝出马，关胜佯败，石宝追赶。凌振放起号炮，各路一齐攻城（第115回）。

攻下杭州后，兵分两路进击，关胜和其他三十五员将佐随宋江攻睦州和乌龙岭。进攻乌龙岭，连折四将，宋江急于报仇，吴用劝阻不听，带领关胜和花荣四将，连夜进兵，结果中计（第116回）。敌军伏兵四起，阵中关胜和敌将元帅石宝交锋。二次攻睦州，关胜与花荣等四将当先进兵，攻打北门。阵上与敌将郑彪交手，郑不敌。敌元帅会道术的包天师作法给郑彪助战，宋江急令樊瑞作法对阵，破了包天师的术法。关胜一刀砍了郑彪（第117回）。关胜等四将杀到岭上，接着石宝兵马，石宝见他，急忙退上岭去，指挥白钦与关胜交锋。斗不十合，岭上鸣锣收兵，原来童枢密率大军从岭东攻上来。关胜见敌军大乱，急招众将杀上岭去，夺了乌龙岭。关胜急忙令人向宋江报捷。攻打方腊都城清溪，关胜和花荣等四正将为前队，直抵清溪县界（第118回）。围攻方腊宫苑帮源洞，招为方腊驸马的细作柴进出洞搦战，关胜和花荣先后出战，佯败。

征方腊后，班师回京，关胜被授予武节将军，大名府正兵马总管（第119回）。在大名甚得军心，众皆钦伏。一日操练军马回来，因大醉，失脚落马，得病身亡（第120回）。

郝思文

郝思文，人称"井木犴"，当初母亲梦见井木犴投胎，因而有孕，故得绰号。十八般武艺无有不能，是关胜的结拜兄弟。关胜受命攻打梁山泊以解大名府之危。推荐郝思文一同前往，并任为先锋，与关胜、宣赞杀奔梁山（第63回）。关胜被俘后，林冲、花荣截住郝思文厮杀，看看不敌，回马便走，却让一丈青用绵套索把郝思文拖下马来，被捉，遂在梁山落草。郝思文又和关胜、宣赞攻打北京，三人围攻李成，大胜（第64回）。

元宵节梁山里应外合攻打大名府，救卢俊义、石秀。郝思文是八路军马中第三队前部头领，关胜手下的二将之一。李成、梁中书逃出城来，郝思文和宣赞在关胜带领下首先截击（第66回）。大名失陷，蔡京举荐凌州团练使单廷珪、魏定国攻打梁山。郝思文随关胜率兵去凌州迎敌，在关胜与单廷珪、魏定国凌州大战时，郝思文和宣赞被捉，解往东京途中，被李逵和鲍旭、焦挺所救，五人又去攻打凌州（第67回）。梁山分头攻打东昌府、东平府，郝思文随卢俊义攻打东昌府（第69回），被东昌府张清用石子打中额角，翻身落马，燕青射中张清战马，救了郝思文（第70回）。

石碣天文载，郝思文是七十二员地煞星中的地雄星。排座次时，郝思文是十六员马军小彪将兼远探出哨头领之一。与关胜、徐宁、宣

地雄星井木犴郝思文

赞把守梁山正东旱寨（第71回）。童贯率官军攻打梁山泊，梁山泊以九宫八卦阵对敌，郝思文是八阵中东壁人马右手副将（第76回）。

梁山招安后，奉旨征辽。玉田大战，军马被辽军冲散，郝思文和关胜等五人后又与卢俊义会合。攻打蓟州，郝思文是卢俊义右军三十七头领之一（第84回）。攻打幽州，兵分三路，关胜率领郝思文和宣赞为左翼（第86回）。昌平失利后，宋江得九天玄女之法，与辽再战，郝思文是攻辽国土星阵主将关胜辖下八员副将之一（第89回）。

征田虎，攻盖州，郝思文是左翼六首领之一（第91回）。与林冲等负责攻打东门，徐宁等进城后，占了东门，放郝思文和林冲等人马入城（第92回）。打下盖州后，又兵分两路击田虎，郝思文分拨到卢俊义一路（第93回）。攻下晋宁后，郝思文与宣赞等四人领兵镇守（第97回）。在与敌妖将马灵大战时，卢俊义退守汾阳城中。公孙胜来破妖术，郝思文和秦明等五人由南门（按：当为北门）杀出，迎战敌将田豹。后与众将杀死敌将索贤、党世隆、凌光，郝思文又刺死了敌将徐瑾，与宣赞等四人镇守汾阳府（第99回）。

奉旨征王庆，攻打宛州时，郝思文与关胜等十人驻守宛州之东，防止南来敌军救援。攻下宛州，郝思文和花荣等六人辅助陈安抚镇守（第105回）。敌人分三路来犯，郝思文按照萧让的"空城计"，打开西门，郝思文与宣赞伏兵门内，敌人怀疑有诈，正退兵时，他等从城内杀出，大败敌军（第106回）。攻南丰，在城外十里摆下九宫八卦阵，其中一阵主将是关胜，郝思文和宣赞分列左右（第109回）。

征方腊，攻润州里应外合，城里打响后，郝思文与关胜等十员战将渡江登岸，杀进城去，射死敌将徐统（第111回）。打下丹徒后，兵分两路，郝思文是宋江率领下攻打常、苏二州的二十九偏将之一。郝思文在关胜带领下，十一员将佐先行，直逼常州城下，阵中关胜马失前蹄，跌下马来。徐宁引他和宣赞将关胜救回。常州城破，敌将沈抃急忙回城保护老小，被郝思文和宣赞一枪刺下马去，被众军活捉（第112回）。攻下无锡后，苏州方腊的三大王方貌领兵反攻。在无锡、苏州间大战，郝思文与关胜等八将迎敌，捉对厮杀，郝思文和敌将昌盛交锋（第113回）。攻杭州，宋江所率兵马，兵分三路，中路负责攻北关门、艮山门。郝思文是中路前队六个正偏将之一。一日，郝思文和徐宁哨探到北关门，城门打开，冲出敌人一标人马。城西偏路又杀出骑兵，结果郝思文被捉。在城内被杀，悬头北关门城上示众（第114回），后封义节郎（第119回）。

王定六

　　王定六，人称"活闪婆"，因走跳得快，得此绰号。平生只好赴水使棒，多曾投师，不得传授。在扬子江边卖酒度日。张顺去建康请安道全给宋江看病，过扬子江时，被张旺、孙五抢劫，并投入水中，爬上岸后，被王定六父亲所救，因此结识张顺。次日送张顺进城，张顺和安道全去梁山，又到王定六家，王定六招呼张旺用船把张顺他们三人送过江去，行至江中，张顺杀了张旺。登岸后，王定六与张顺、安道全告别。回家收拾了行囊，与老父一起追赶张顺，两三日后相见，同奔梁山（第65回）。李逵请战去杀凌州团练使单廷珪、魏定国，宋江不准。李逵深夜出走，宋江派王定六和其他三人分头去找（第67回）。梁山分兵攻打东昌府和东平府，王定六随宋江攻打东平府，和郁保四一起去东平城内下战书。结果被董平打得皮开肉绽而回，送上梁山休息（第69回）。

　　石碣天文载，王定六是七十二员地煞星中的地劣星。排座次时，王定六和李立开北山酒店（第71回）。

　　梁山泊招安后征辽，王定六奉命随众水军头领自蔡河内出黄河，投北进发（第83回）。攻下檀州，王定六和其他二十二位首领随赵安抚守御（第84回）。

　　打下盖州后，又兵分两路击田虎，王定六分拨到宋江一路（第93

地劣星活閃婆王定六

回)。宋江北征襄垣，王定六是三十一将佐之一（第98回）。田虎率军援襄垣。吴用密令王定六和张清之妻琼英等九人去敌都威胜，诈称田虎回城，诈开城门，捉了田豹、田彪。由王定六和郁保四等四人押解去襄垣（第100回）。

宋江奉旨攻王庆。攻山南城时，依吴用之计，让水军头领以粮船为饵，诱敌打开城西水门劫掠。张横等乘机在水下，将伏有王定六和鲍旭等二十个步军头领的船只推入城去，杀上岸去（第106回）。攻打南丰，在城外布下九宫八卦阵。在追杀王庆败兵时，王定六杀死了敌将毕先（第109回）。打下丹徒后，兵分两路，王定六是卢俊义率领的攻打宣、湖二州的三十二偏将之一，阵中中毒箭而死（第112回），后封义节郎（第119回）。

安道全

　　安道全，人称"神医安道全"，建康府人，住槐桥下。祖传内外科，尽皆医得，因此远近驰名。张顺母患背疾，百医不能治，却让安道全治愈。宋江围攻北京时，忽生病，背红肿，张顺遂去江南请安道全。安道全妻子刚死，恋一妓女李巧奴。安道全约张顺在李巧奴家喝酒，晚间安道全与李巧奴同住。安道全住在门首小房，深夜有人来找李巧奴，张顺发现原来是在扬子江里图财害命，几乎把自己杀死的张旺。虔婆安排二人饮酒，张顺杀死了虔婆和李巧奴等四人，张旺跳窗逃脱。张顺割下衣襟，蘸血在墙上写"杀人者安道全也"数十处。天明，安道全酒醒，看到这一切，无奈随张顺去梁山。过江后，行路艰难，恰遇戴宗来探听情况，就给了安道全两个马甲拴在腿上，跟戴宗同行。到梁山治好了宋江的病，梁山人马利用元宵节里应外合攻打大名府，宋江要亲自出征，被安道全劝阻（第65回）。

　　石碣天文载，安道全是七十二员地煞星中的地灵星。排座次时，安道全是掌管监造诸事十六头领之一，专治诸疾内外科医士（第71回）。安道全治好了宋江的文面，使得宋江才敢去东京观灯（第72回）。董平被高俅将领项元镇射中右臂，由安道全医治（第79回）。

　　梁山招安后，奉旨征辽，攻下檀州，安道全随赵安抚与其他二十二位首领守御。玉田县大战张清中箭，送来檀州由安道全医治。经赵

地靈星神醫安道全

安抚同意，安道全让萧让、宋清去东京收买药饵、关支暑药、啖马药物（第84回）。在昌平宋江与辽国统军兀颜光大战，李云、朱富、石勇、杜迁、宋万受伤，由安道全医治（第88回）。

征讨田虎时，张清偶感风寒，安道全随张清去高平治疗（第91回），病愈后与张清来盖州参见宋江，听用。庆功宴上，李逵说安道全做一梦，得十字诀："要夷田虎族，须谐琼矢镞。"宋江等不解其意，安道全欲言，被张清目止之。

打下盖州后，又兵分两路击田虎，安道全分拨到宋江一路（第93回）。攻壶关，林冲受箭伤，由安道全医治（第94回）。宋江率大军攻襄垣，安道全是三十一将佐之一。王英、林冲阵中被敌女将琼英用石子打伤，由安道全治疗。敌将叶清化作细作来到宋江处，备述琼英身世及梦中一男子教她飞石事。安道全听后，向宋江说明，张清也梦见白衣秀士请他去教一女子飞石之事，这是宿世姻缘。宋江遂依吴用之计，派安道全和张清化名全灵、全羽，随叶清去敌营，给琼英义父敌国舅邬梨看病，张清和琼英婚后，鸩杀了邬梨，放出了被俘的解珍、解宝。安道全和张清出城去昭德报知宋江（第98回）。

宋江奉旨征王庆，军至阳翟，中暑者甚多，让安道全治疗（第105回）。宋江攻荆南时染病，由安道全医治（第108回）。

征方腊，打下丹徒后，兵分两路，安道全是宋江率领下攻打常、苏二州的二十九偏将之一（第112回）。在秀州时，东京派天使捧御酒赏赐宋江军马，并传圣旨，因上皇乍感小疾，命安道全去东京，御前委用。宋江十里长亭饯行（第114回），在东京做了金紫医官（第120回）。

单廷珪

单廷珪，人称"圣水将军"，凌州团练使，善用水浸兵之法，故得绰号。骑深乌马，使黑杆枪。梁山人马攻破北京，蔡京举荐单廷珪和魏定国攻打梁山泊，关胜请缨迎敌去打凌州，结果单廷珪和魏定国分别捉了关胜的副将郝思文、宣赞，又乘胜追赶关胜，让林冲、杨志接应出来，后又与关胜战，被关胜用刀打下马来被捉，乞命受降，遂和关胜一起去说服魏定国（第67回）。二打曾头市，单廷珪留守山寨，后宋江调单廷珪到中军驻扎。青州、凌州兵马来救曾头市，单廷珪奉命和关胜、魏定国迎战青州来军。胜利后，回到宋江处（第68回）。梁山分头攻打东昌府、东平府，单廷珪随卢俊义攻打东昌府（第69回）。

石碣天文载，单廷珪是七十二员地煞星中的地奇星。排座次时，单廷珪是十六员马军小彪将兼远探出哨头领之一。与林冲、董平、魏定国把守梁山正西旱寨（第71回）。童贯率官军攻打梁山泊，梁山泊以九宫八卦阵对敌，单廷珪是八阵中正南方兵马左手副将（第76回）。

梁山招安后，奉旨征辽。玉田大战，军马被辽军冲散，单廷珪和关胜等五人后又与卢俊义会合。攻打蓟州，单廷珪是卢俊义右军三十七头领之一（第84回）。攻打幽州，兵分三路呼延灼率领单廷珪和魏

地奇星聖水將單廷珪

地奇星聖水將(軍)單廷珪

定国为右翼（第86回）。昌平失利后，宋江得九天玄女之法，与辽再战，单廷珪是攻辽国火星阵主将秦明辖下七副将之一（第89回）。

征田虎，攻盖州，单廷珪是后队首领之一（第91回）。与董平等人攻打西门，秦明等人进城后占了西门，放单廷珪和董平人马进城（第92回）。打下盖州后，又兵分两路击田虎，单廷珪分拨到宋江一路（第93回）。从东路进军，单廷珪和孙立等八人是后队首领。攻壶关，敌守将唐斌准备献关，以宋江营寨鸣炮为号，宋江、吴用担心有诈，命单廷珪和孙立等五人领兵潜往营后，以备不虞（第94回）。攻昭德，乔道清用妖法大败李逵，李逵被俘。宋江调樊瑞来破妖法，单廷珪和魏定国配合，与乔道清斗法，结果不敌（第95回）。公孙胜破妖法后，鏖战一天，兵疲马乏，吴用令单廷珪和樊瑞、魏定国前去接应，又在公孙胜率领下领兵追击乔道清，之后宋江又派来林冲、张清支援，合兵一处，把乔道清围困于百谷峪（第96回）。乔道清降后，单廷珪和樊瑞等众将奉命回昭德城驻扎（第97回）。又奉命与索超等七人攻取了潞城县（第98回），单廷珪和魏定国镇守（第99回）。

奉旨征王庆，攻打宛州时，单廷珪与林冲等十人驻守宛州之西，防止北来敌军救援（第105回）。攻山南城，兵分三路，单廷珪与黄信等是后队。攻打西京，单廷珪是卢俊义统领下二十四员战将之一（第106回）。敌人来援西京，单廷珪与朱武等七人列阵大寨之前，以防城内敌人冲出。李应、柴进统领他和魏定国等六人领兵护送辎重车辆去宋江军营。入夜休息，得知敌兵要来夜袭劫夺粮草。柴进安排单廷珪等人马隐藏，柴静用计火烧炮击敌人，大胜（第108回）。攻南丰，在城外十里摆下九宫八卦阵，其中一阵主将是秦明，单廷珪和魏定国分列左右（第109回）。

征方腊，攻润州里应外合，城里打响后，单廷珪与关胜等十员战将渡江登岸，杀进城去（第111回）。打下丹徒后，兵分两路，单廷珪是卢俊义率领下攻打宣、湖二州的三十二偏将之一（第112回）。攻下湖州，由呼延灼和单廷珪等十九人守卫，而后进攻德清，约定与卢俊义所部去杭州聚齐（第114回）。围杭州，单廷珪与卢俊义等十三员正偏将攻打候潮门（第115回）。破杭州后，兵分两路，单廷珪和其他二十七位将佐随卢俊义攻打歙州和昱岭关（第116回）。攻歙州，初战不利，朱武料敌人晚间必来劫寨，让众将埋伏，单廷珪和魏定国引军在寨后埋伏，敌人果然中计。二次攻打歙州，见城门不关，城上无旌旗，城楼无军士。单廷珪和魏定国要夺头功，引军杀入城去，结果掉进城门里面的陷坑里。两面埋伏的长枪手、弓箭手，一齐戳杀，二人死于坑中（第118回），后封义节郎（第119回）。

魏定国

魏定国，人称"神火将军"，凌州团练使。精熟火攻兵法，因得绰号。骑胭脂马，手使一口熟铜刀，梁山人马攻破北京。蔡京举荐魏定国和单廷珪攻打梁山泊，关胜请缨迎敌去打凌州，结果魏定国和单廷珪分别捉了关胜的副将郝思文、宣赞，又乘胜追赶关胜。让林冲、杨志接应出来，后又与关胜战，单廷珪被俘，乞命受降。在单廷珪和关胜劝说下，魏定国也归降梁山（第67回）。二打曾头市，魏定国留守山寨。后宋江调魏定国到中军驻扎。青州、凌州兵马来救曾头市，魏定国奉命和关胜、单廷珪迎战青州来军。胜利后，回到宋江处（第68回）。梁山分头攻打东昌府、东平府，魏定国随卢俊义攻打东昌府（第69回）。

石碣天文载，魏定国是七十二员地煞星中的地猛星。排座次时，魏定国是十六员马军小彪将兼远探出哨头领之一。魏定国与林冲、董平、单廷珪把守梁山正西旱寨（第71回）。童贯率官军攻打梁山泊，梁山泊以九宫八卦阵对敌，魏定国是八阵中正南方兵马右手副将（第76回）。

梁山招安后，奉旨征辽。玉田大战，军马被辽军冲散，魏定国和关胜等五人会合，后又与卢俊义会合。攻打蓟州，魏定国是卢俊义右军三十七头领之一（第84回）。攻打幽州，兵分三路，呼延灼率领魏

地猛星神火将(军)魏定国

定国和单廷珪为右翼（第86回）。昌平失利后，宋江得九天玄女之法，与辽再战，魏定国是攻辽国火星阵主将秦明辖下七副将之一（第89回）。

征田虎，攻盖州，魏定国是后队首领之一（第91回）。与董平等人攻打西门，秦明等人进城后占了西门，放魏定国和董平人马进城（第92回）。打下盖州后，又兵分两路击田虎，魏定国分拨到宋江一路（第93回）。从东路进军，魏定国和孙立等八人是后队首领。攻壶关，敌守将唐斌准备献关，以宋江营寨鸣炮为号。宋江、吴用担心有诈，命魏定国和孙立等五人领兵潜往营后，以备不虞（第94回）。攻昭德，乔道清用妖法大败李逵，李逵被俘。宋江调樊瑞来破妖法，魏定国和单廷珪配合，与乔道清斗法，结果不敌（第95回）。公孙胜破妖法后，鏖战一天，兵疲马乏，吴用令魏定国和樊瑞、单廷珪前去接应，又在公孙胜率领下领兵追击乔道清，之后宋江又派来林冲、张清支援，合兵一处，把乔道清围困于百谷岭（第96回）。乔道清降后，魏定国和樊瑞等众将奉命回昭德城驻扎（第97回），魏定国又奉命与索超等七人攻取了潞城县（第98回），魏定国和单廷珪镇守（第99回）。

奉旨征王庆，攻打宛州时，魏定国与林冲等十人驻守宛州之西，防止北来敌军救援（第105回）。攻山南城，兵分三路，魏定国与黄信等是后队。攻打西京，魏定国是卢俊义统领下二十四员战将之一（第106回）。敌人来援西京，魏定国与朱武等七人列阵大寨之前，以防城内敌人冲出。李应、柴进统领魏定国和单廷珪等六人领兵护送辎重车辆去宋江军营。入夜休息，得知敌兵要来夜袭劫夺粮草，吴用安排兵马应对。柴进带领魏定国和兵丁带着火器埋伏起来。柴进用计火烧炮击敌人，大胜（第108回）。攻南丰，在城外十里摆下九宫八卦阵，其中一阵主将是秦明，魏定国和单廷珪分列左右（第109回）。

征方腊，攻润州里应外合，城里打响后，魏定国与关胜等十员战将渡江登岸，杀进城去（第111回）。打下丹徒后，兵分两路，魏定国是卢俊义率领下攻打宣、湖二州的三十二偏将之一（第112回）。攻下湖州，由呼延灼和魏定国等十九人守卫。而后进攻德清，约定与卢俊义所部去杭州聚齐（第114回）。围杭州，魏定国与卢俊义等十三员正偏将攻打候潮门（第115回）。破杭州后，兵分两路，魏定国和其他二十七位将佐随卢俊义攻打歙州和昱岭关（第116回）。攻昱岭关时，活捉了敌将计稷。攻歙州，初战不利。朱武料敌人晚间必来劫寨，让众将埋伏。魏定国和单廷珪引军在寨后埋伏，敌人果然中计。二次攻打歙州，见城门不关，城上无旌旗，城楼无军士。魏定国和单廷珪要夺头功，引军杀入城去，结果掉进城门里面的陷坑里，两面埋伏的长枪手、弓箭手，一齐戳杀，二人死于坑中（第118回），后魏定国被封义节郎（第119回）。

焦 挺

焦挺，人称"没面目"，中山府人氏，祖传三代，相扑为生，父子相传，不教徒弟。平生最无面目，到处投人不着，因之山东、河北都叫他没面目焦挺。焦挺听说寇州有个枯树山，山上有个强人鲍旭，他要去入伙儿。途中遇到李逵，只身去打单廷珪、魏定国。两人一言不合打起来，通了姓名，彼此相识。李逵劝焦挺上梁山入伙儿，他同意。李逵让焦挺一起先去枯树山说服鲍旭攻取凌州，焦挺认为三人攻不下凌州，枉送了性命，应说服鲍旭同去梁山。焦挺拗不过李逵，跟他一起去枯树山寻鲍旭，鲍旭同意一起去打凌州。这时梁山关胜打凌州，副将宣赞、郝思文被单廷珪、魏定国捉去，派一位偏将押去东京，途中被焦挺和李逵、鲍旭所劫，救了宣赞、郝思文，同去凌州。魏定国用火攻，大败关胜，凯旋回城。这时焦挺和鲍旭、李逵从凌州背后北门攻入，魏定国只好弃城而走（第67回）。

石碣天文载，焦挺是七十二员地煞星中的地恶星。排座次时，焦挺是十七员步军将校之一（第71回）。童贯率官军攻打梁山泊，梁山泊以九宫八卦阵对敌，焦挺守护中军帅字旗（第76回）。攻打蓟州，焦挺是卢俊义右军三十七头领之一（第84回）。昌平失利后，宋江得九天玄女之法，与辽再战，焦挺是攻辽国太阳阵左军阵的七战将之一（第89回）。

地恶星没面目焦挺

打下盖州后，又兵分两路击田虎，焦挺分拨到卢俊义一路（第93回）。在汾阳被敌将马灵用术法打伤（第99回）。攻破敌都威胜时，焦挺与石秀等七人领兵从前面杀进王宫，并将自刎而死的田虎太子田定的尸体驮来卢俊义处（第100回）。

宋江军奉旨征王庆，攻荆南城纪山，焦挺与郁保四等四人率兵伐木广道，以利厮杀，初战不利。吴用拟智取，焦挺同鲁智深等十四将领乘夜抄小路到纪山之后，乘敌出击，营内空虚之际，夺了敌营（第107回）。攻南丰，在城外大败王庆，焦挺和鲁智深等八人追杀敌兵，焦挺杀死敌将刘以敬、上官义（第109回）。

征方腊，宋江军扮成敌兵，渡江取润州。焦挺是第二拨船上张顺的四偏将之一，军中被箭射死，马踏身亡（第111回），后封义节郎（第119回）。

鲍 旭

鲍旭，人称"丧门神"，平生只好杀人，因得绰号。在寇州枯树山上落草，关胜率梁山军马与凌州团练使单廷珪、魏定国大战，关胜副将宣赞、郝思文被捉，要解往东京。途中让鲍旭和李逵、焦挺所劫，救了宣赞、郝思文，于是同去攻打凌州。魏定国火攻关胜，凯旋回城。此时，鲍旭和李逵、焦挺却从凌州背后北门杀进城来，魏定国只好弃城而走（第67回）。

石碣天文载，鲍旭是七十二员地煞星中的地暴星。排座次时，鲍旭是十七员步军将校之一（第71回）。童贯二打梁山，吴用布置十面埋伏。鲍旭和李逵、项充为一部，杀得官军七零八落（第77回）。高俅两次攻打梁山失败后，天子降诏招安，高俅由济州派人传信。吴用怕有阴谋，派李逵带领鲍旭与樊瑞、项充带兵一千埋伏济州东路，若听得连珠炮响，即杀奔北门取齐（第79回）。

梁山招安后，奉旨征辽。攻打檀州，鲍旭奉命与凌振等六人去城下施放号炮。辽兵欲出城，被鲍旭和李逵等五人截住厮杀，不得出城。凌振准备放炮，鲍旭在后面率众呐喊助威。后又攻进城去（第83回）。攻打蓟州，鲍旭是宋江左军四十八首领之一（第84回）。宋江诈降辽国，到了霸州，鲍旭是十五头领之一（按：实为十四人），后里应外合取了霸州（第85回）。攻打幽州，卢俊义率领军马兵陷青石峪，

地暴星丧门神鲍旭

由宋江一路人马去解救，鲍旭是头领之一，曾与辽兵厮杀（第86回）。辽国统军兀颜光在昌平布下混天阵。鲍旭和众人在宋江布置下撞杀进去，结果大败（第88回）。昌平失利后，宋江得九天玄女之法，与辽再战，鲍旭是负责护送雷车推到辽军阵中的五员战将之一（第89回）。

征田虎，打陵川，鲍旭是步军头领之一，与李逵等率先抢入城去，夺了城门，与众人活捉了敌将耿恭。卢俊义又令鲍旭和步军将士换穿敌人衣甲，攻打高平。由田虎降将耿恭赚开城门，杀进城去（第91回）。攻打盖州时，吴用料敌军夜间会来劫营，令鲍旭和鲁智深等人伏于寨内，大败敌兵。围困盖州，鲍旭与李逵等人和负责四门探听联络的花荣等人互相策应（第92回）。

打下盖州后，又兵分两路击田虎，鲍旭分拨到宋江一路（第93回）。从东路进军，攻壶关，鲍旭和李逵等四人是步兵首领。攻打昭德，鲍旭和李逵等四人作为游兵，往来接应。李逵不听劝阻，去攻打会妖法的乔道清，鲍旭和李衮担心李逵有失，遂一齐杀上前去，结果中了妖法（第94回），全部被俘（第95回），昭德城降后被放出（第97回）。宋江北征襄垣，鲍旭是三十一将佐之一（第98回）。田虎率军援襄垣受阻，中途折回，宋江密令鲍旭和鲁智深等五人截击，大败敌军（第100回）。

宋江奉旨攻王庆，攻山南城时，依吴用之计，让水军头领以粮船为饵，诱敌打开城西水门劫掠。张横等乘机在水下，将伏有鲍旭和项充等二十个步军头领的船只推入城去，杀上岸去（第106回）。攻荆南纪山，初战不利，吴用拟智取，鲍旭同鲁智深等十四将领乘夜抄小路到纪山之后，乘敌出击，营内空虚之际，夺了敌营（第107回）。攻下丹徒后，鲍旭是宋江率领下攻打常州、苏州的二十九偏将之一。攻打常州，折损了韩滔、彭玘二将，李逵报仇心切，次日鲍旭和项充、李衮在李逵带领下，直逼常州城下。李逵杀入敌阵，鲍旭和李衮、项充策应。李逵和鲍旭要杀进城去，被李衮和项充挡住，回来后四人受赏。攻下常州，敌人反扑，鲍旭和关胜等十将迎敌（第112回）。

攻打无锡县，鲍旭与李逵等四人率先冲杀，攻入城去。在无锡、苏州间大战中，徐宁刺死敌将吕枢密后，鲍旭和李逵等四人领五百余人杀出阵来，南兵大乱。李俊在太湖劫取了南军运送铁甲的船只，假冒敌船，进入苏州，鲍旭和李逵等六人领兵二百潜藏船内。进城后，杀将起来，里应外合，攻取了苏州（第113回）。攻打杭州，鲍旭是中路宋江所率第二队十七将佐之一，攻北关门、艮山门。张顺死后，宋江到灵隐寺追荐亡灵，引诱敌人。鲍旭与李逵等四人先行探路。行祭时，又让他们四人埋伏在北山路口，依计行事（第114回）。

敌果然中计，来捉宋江，知道中计后，急忙退走，阵中鲍旭砍死敌将苏泾，鲍旭又奉命与李逵等四人带兵去接应卢俊义及湖州一路呼延灼兵马，夹击从独松关被卢俊义打败的残敌。在山路上正撞上敌将张俭败军，四人并力冲杀进去，乱军中杀死敌将姚义，之后与卢俊义会合一处回到宋江营寨。二次部署攻打杭州，鲍旭是宋江带领的攻打北关门大路的二十员正偏将之一。初战杭州不利，索超、邓飞、刘唐战死。李逵带鲍旭和项充、李衮要去北关门捉敌猛将石宝，到北关门下搦战，鲍旭杀死了敌将廉明。宋江乘胜带马军冲到城边，城上擂木炮石打下来，宋江急令退兵，鲍旭却早钻入城门里面，石宝伏在一边，斜刺里一刀，把他砍成两段（第115回），后封义节郎（第119回）。

郁保四

郁保四，人称"险道神"，青州强人。梁山的段景住、杨林、石勇去北地买马回来，路过青州，让郁保四把马劫夺，送去曾头市。双方议和，郁保四和曾升去梁山军中做人质。在宋江、吴用劝诱下上了梁山。吴用让郁保四回去劝说史文恭偷袭梁山营寨，史文恭中计，曾头市被攻破（第68回）。梁山分兵攻打东昌府和东平府，郁保四随宋江攻打东平府，和王定六一起去东平城内下战书，结果被董平打得皮开肉绽而回，送上梁山休息（第69回）。

石碣天文载，郁保四是七十二员地煞星中的地健星。排座次时，郁保四是十六员掌管监造诸事头领之一，专一把捧帅字旗（第71回）。童贯率官军攻打梁山泊，梁山泊以九宫八卦阵对敌，郁保四在中军守护"替天行道"杏黄旗（第76回）。

梁山招安后，奉旨征辽。攻打蓟州，郁保四是宋江左军四十八首领之一（第84回）。宋江、吴用诈降辽国，郁保四扮作百姓，跟随吴用，赚开辽国要塞益津关，并与众人攻占文安县（第85回）。

征田虎，攻盖州，郁保四和汤隆督修云梯飞楼，备攻城之用（第92回）。打下盖州，兵分两路合击敌人，郁保四分拨到宋江一路（第93回）。攻打昭德，李逵被俘，宋江要救李逵，率郁保四和林冲等十人领兵进攻敌人，他手执帅字旗不离宋江左右，结果被敌人乔道清的

地健星险道神郁保四

妖术打败，他身中两箭，帅字旗却不倒，紧随宋江（第95回）。宋江北征襄垣，郁保四是三十一将佐之一（第98回）。阵中，鲁智深失踪，宋江令郁保四和段景住等四人四处寻找，郁保四抓住一名奸细，送到宋江处，原来是敌将叶清来暗通消息（第98回）。田虎率军援襄垣，吴用密令郁保四和张清之妻琼英等九人去敌都威胜，诈称田虎回城，诈开城门，捉了田豹、田彪，由郁保四和王定六等四人领五百余人押解去襄垣（第100回）。

宋江军奉旨征王庆，攻荆南城纪山，郁保四与焦挺等四人率兵伐木广道，以利厮杀（第107回）。攻南丰，在城外十里摆下九宫八卦阵，郁保四守中央阵帅字旗（第109回）。攻下丹徒后，郁保四是宋江率领下攻打常州、苏州的二十九偏将之一（第112回）。攻打杭州，郁保四是中路宋江所率第二队十七将佐之一，攻北关门、艮山门。二次部署攻打杭州，郁保四是宋江带领的攻打北关门大路的二十一员正偏将之一（第114回）。攻打睦州，吴用等六将佐率军马支援宋江。郁保四和吕方等十三将佐留守桐庐县营寨（第117回）。攻打方腊都城清溪一战中，郁保四被敌将杜微飞刀杀死（第118回），后封义节郎（第119回）。

董 平

董平，人称"双枪将"，河东上党郡人，东平府兵马督监。善使双枪，神出鬼没，有万夫莫当之勇。心灵手巧，三教九流，无所不通。品竹调丝，无所不会。山东、河北皆称董平风流双枪将。尚未婚娶，东平太守程万里有一女儿，董平累累求亲，太守不许，因此二人有隙。梁山人马打太平府，史进进城做细作被捉，董平下令痛打。曾与韩滔交手，与徐宁大战五十余回合，不分胜负。与林冲、花荣战，二人佯败，董平紧追宋江等人不舍，结果被王英和张青夫妇的绊马索绊倒被擒，同意落草。又回到太平城下，赚开城门，因宋江军马杀入城去，董平奔入程太守私衙，杀了太守一家，夺了太守女儿（第69回）。董平随宋江支援卢俊义攻打东昌府，与东昌府张清大战，张清两颗石子都未击中董平，第三颗从耳边擦过，他回到本阵（第70回）。

石碣天文载，董平是三十六员天罡星中的天立星。排座次时，董平是马军五虎将之一，和林冲、单廷珪、魏定国把守梁山正西旱寨（第71回）。宋江上元节晚上去东京观灯，李逵大闹东京。宋江匆匆逃出，吴用派董平等五虎将到城外接应，宋江等从城内逃出后，董平五人兵临城下，使高廉不敢出城追赶（第72回）。李逵大闹东京回山寨，路遇刘太公，家有一女儿，被冒充宋江的二人劫走，李逵听后大怒，回山寨要杀宋江，被董平等五虎将拦住（第73回）。童贯率官军攻打

天立星雙鎗將董平

天立星双枪将董平

梁山泊，梁山泊以九宫八卦阵对敌，董平是八阵中东南方军马主将（第76回）。童贯二次攻打梁山泊，吴用布下十面埋伏，董平和索超是一部，二人飞马直取童贯。董平一枪刺死了敌将韩天麟（第77回）。高俅率官军打梁山，宋江、吴用派董平和张清去济州附近主动出击，先发制人，灭敌人锐气。董平善撞头阵，人称董一撞，与高俅手下京北弘农节度使王文德交锋，又和琅琊彭城节度使项元镇战，受箭伤。被呼延灼、林冲救回（第78回），宋江和董平回山，由安道全医治箭伤（第79回）。

梁山招安后，奉旨征辽，打檀州，董平将辽国援兵大将皇侄耶律国珍杀死，宋江表董平攻打檀州第二功。攻檀州城时，董平和呼延灼从东北进兵（第83回）。玉田大战，张清中箭，董平和史进率解珍、解宝死命救回。大战中军队冲散，后董平与徐宁二人与卢俊义会合。攻蓟州董平是卢俊义右军三十七头领之一（第84回）。攻打幽州，辽将贺统军败走，欲回幽州城，转到西门，董平与之厮杀（第86回）。辽国统军兀颜光夺幽州，宋江在昌平布下九宫八卦阵，董平居西南方。攻对方混天阵时，董平与花荣、林冲等八人由左右两方撞开皂旗阵势，杀了进去，结果大败（第88回）。昌平失利后，宋江得九天玄女之法，与辽再战，董平是攻辽国水星阵左右撞破皂旗军七门的主将，下辖七副将。辽国投降，董平是护送宿太尉去辽国颁旨的十员上将之一（第89回）。

征田虎，分兵三队，董平是前部首领之一。攻陵川，董平又是马军头领之一，杀死了敌将沈骥。攻盖州，董平和其他六人为左翼（第91回）。花荣等四先锋在盖州城外几被包围，董平与黄信等人从左右杀出，解救了花荣等人。围盖州，董平与杨志等人攻打西门。秦明等人进城后占了西门，放董平和杨志等人马进城（第92回）。董平和花荣等四人防卫盖州（第94回）。新官到任交接后，董平到了昭德宋江处。田虎率大军救援襄垣，董平奉命途中截击，刺死敌将樊玉明，战至天命，董平和花荣等收兵回寨（第99回）。

宋江军奉旨征王庆。攻打宛州时，董平与林冲等十人驻守宛州之西，防止被来敌军救援（第105回）。攻山南城，兵分三队，董平与秦明等十二人为前队，董平和张清、徐宁等于敌将縻貹厮杀（第106回）。攻荆南纪山，董平和秦明等八人出战（第107回）。攻打南丰，在城外布下九宫八卦阵，董平是其中一阵主将（第109回）。征方腊，攻丹徒，董平是十员正将之一（第111回）。打下丹徒后，兵分两路，董平是卢俊义率领的攻打宣、湖二州的十五员正将之一。攻宣州，董平刺死敌将韩明（第112回）。攻下湖州，兵分两拨，董平与卢俊义等二十三人攻独松关（第114回）。阵中，周通被杀，董平要报仇，在关下大骂，却被火炮打中左臂，用夹板缚定。第二次瞒着卢俊义，董平和张清商定先上关来，与敌将厉天润步战，结果张清被厉天润刺死，董平急使双枪来战，未提防敌将张韬却在背后一刀，把他剁成两段（第115回），后封忠武郎（第119回）。

张 清

张清，人称"没羽箭"，彰德府人，虎骑出身，善飞石打人，百发百中，故得绰号。东昌府马骑将。梁山攻打东昌府，被张清用石子打伤十五员战将。吴用设计，让人扮作运粮草模样，水陆并进，诱张清打劫，他先劫了车辆，果然是粮草，又去劫水上船只，结果在河里被擒。因张清伤人太多，众头领要杀死他，被宋江喝止，遂归降落草，并推荐兽医皇甫端上山（第70回）。

石碣天文载，张清是三十六员天罡星中的天捷星。排座次时，张清是马军八虎骑兼先锋使之一，住梁山第二坡右一代房内（第71回）。童贯率官军攻打梁山泊，梁山泊以九宫八卦阵对敌，张清打前哨，在头前诱战（第76回）。童贯二打梁山，吴用布置十面埋伏，张清和龚旺、丁得孙为一部，张清用石子把官军将领周信打下马，龚旺和丁得孙将周信用叉杀死（第77回）。高俅率官军打梁山，宋江、吴用派张清和董平去济州附近主动出击，先发制人，灭敌人锐气。与高俅手下京北弘农节度使王文德交锋，用石子击中对方（第78回）。高俅二次攻打梁山，呼延灼与高俅将领韩存保大战，滚入溪中，徒手相搏。他赶来，生擒了韩存保，敌将张开、梅展来救韩存保。张清又用石子击伤了梅展，后战马被张开射瞎，张清只得步战，只有招架之功。林冲、关胜杀来，打败了张开、梅展，夺回了韩存保，张清也夺回了战

天捷星没羽箭张清

马（第79回）。高俅奉旨招安。宋江等人来济州接旨之前，先由张清率兵到蓟州城外转了一遭（第79回）。高俅大造战船准备第三次攻打梁山泊，时迁和段景住等六人受命去济州烧了船厂、城楼和西草场。官军到城外西草场救援时，张清埋伏在这里，与官军将领丘岳、周昂厮杀，用石子击伤了丘岳（第80回）。

梁山招安后，征辽，张清用石子击伤了辽上将阿里奇，并让花荣、林冲、秦明、索超生擒。宋江表张清第一功，在密云县设宴祝贺。攻打檀州，张清用石子打伤了辽国洞仙侍郎的耳朵，用石子将辽国援兵上将皇侄耶律国宝打死，再表第二功（第83回）。玉田大战，张清用石子击一番将，却被另一番将天山勇射中咽喉，翻身落马，由董平、史进、解氏兄弟救回，卢俊义派邹渊、邹润送张清去檀州安道全处医治。攻蓟州，张清是卢俊义右军三十七头领之一（第84回）。昌平失利后，宋江得九天玄女之法，与辽再战，张清是攻辽国土星阵左右撞破黄旗军的主将关胜辖下的八副将之一。用石子打伤不少辽国牙将，又配合关胜，用石子把辽国统军兀颜光打倒在马上，关胜砍了一刀，张清又补了一枪，杀死了兀颜光（第89回）。

征田虎，分兵三队，张清是前部首领之一。送检海军攻下陵川、高平后，张清患风寒在高平由安道全医治（第91回）。病愈后与安道全来盖州参见宋江，听用。庆功宴上，李逵说他做一梦，得十字诀："要夷田虎族，须谐琼矢镞。"宋江等不解其意，安道全欲言，被张清目止之。打下盖州后，又兵分两路击田虎，张清分拨到宋江一路（第93回）。从东路进军，张清和林冲、徐宁、索超等为前队首领。攻壶关，用石子将敌将竺敬打伤落马。与敌将山士奇交锋，被张清石子击中后，山士奇逃走。敌守将唐斌准备献关，以宋江营寨鸣炮为号。宋江、吴用担心有诈，命张清和索超林冲领兵伏于寨西，相机攻关。围攻昭德，张清与索超领兵攻南门（第94回）。

敌将乔道清来援，用妖法打败李逵并捉去。宋江率张清和林冲等十将解救李逵，结果被乔道清妖术打败，张清和林冲等七人紧紧护卫宋江，后又与王英等四人去卫州接公孙胜破敌（第95回）。公孙胜到后，立即扫荡妖氛，显出蓝天。即由宋江、公孙胜统领张清和林冲等七人领兵追击乔道清。公孙胜、乔道清再次斗法，乔道清又败。乘敌军大乱，宋江指挥张清和李云等四将冲杀过来，杀敌甚众。后吴用派樊瑞等领军前来接替宋江军马，由公孙胜率樊瑞等将乔道清围困于百谷岭。后张清和林冲又奉命返回，支援公孙胜（第96回）。乔道清降后，张清与众将回昭德城驻扎（第97回）。宋江率大军攻襄垣，张清是三十一将佐之一。阵中敌女将琼英用石子打伤数人，张清赶来要看琼英，琼英已经收兵，后随孙安保护着林冲回寨。原来张清去冬攻下田虎占据的高平后，曾做一梦，见一白衣秀士请他去教一女子飞石，遂痴心成病，说是风寒。这时敌将叶清化作细作来到宋江处，备述琼英身世及梦中一男子教她飞石事，与张清所梦暗合。安道全向宋江点破此事。

宋江遂依吴用之计，派张清和安道全化名全羽、全灵随叶清去敌营，并与琼英比武。二人皆能飞石，琼英义父邬梨遂招张清为婿，二人婚后，鸩杀了邬梨，放出了被俘的解珍、解宝，让他二人假意协助自己守城（第98回）。张清被田虎封为中兴平南先锋郡马，田虎率大军救援襄垣，张清让解珍、解宝出城给宋江汇报（第99回）。田虎被截击，中途返回，张清领兵出城，要把田虎迎进城去，走到城边，田虎知道中计，要逃走，被张清和叶清捉住，并用石子把来解救田虎的敌将唐昌打死，闭了城门，又领命去救援攻打敌都威胜的妻子琼英。攻进城去，张清和琼英等众将分头去杀田虎臣属将佐。回襄垣，押解田虎到宋江处，宋江标写张清和妻子擒田虎的大功（第100回），后又命张清和妻子、叶清押解田虎、田豹、田彪去京献俘。到京交割后，朝廷让张清官复原职（第101回）。

奉召协助宋江征讨王庆，张清和妻子回到宋江军中。攻打宛州之前，依令张清和妻子在大军营寨东山麓领兵埋伏，阵中琼英把敌将郑捷一石子打下马来，张清再补了一枪，结果了郑捷性命。宋江标写张清和琼英等人的功劳，又命张清和妻子统领孙安等十七员将佐，率五万人马为攻大宛州城前部。宛州攻下后，再次标写张清和诸将的功劳（第105回）。攻山南城，兵分三队，张清与董平等十二人为后队。用石子打敌将縻貹不中（第106回）。攻荆南纪山，张清和秦明等八人出战（第107回）。攻打南丰，在城外布下九宫八卦阵，张清和琼英与敌将刘以敬、上官义战，诈败诱敌深入。攻南丰城，夫妇二人先行哨探，见孙安攻进南丰城后被困于东门，二人遂进了东门与敌军鏖战，宋江大军赶到，夺了城池（第109回）

征方腊兵至扬州，有定浦村陈将士与江南润州方腊手下吕枢密联络图谋扬州。燕青依计扮作吕枢密帐前叶虞候带领解珍、解宝杀了陈氏父子，张清和朱仝等六人配合包围了庄院。攻打润州，宋江军扮作敌兵渡江，张清是第三拨船只十员正将之一（第111回）。打下丹徒后，兵分两路，张清是卢俊义率领的攻打宣、湖二州的十五员正将之一。攻宣州，张清用石子打伤敌将潘濬，接着让李忠杀死（第112回）。攻下湖州，兵分两拨，张清与卢俊义等二十三人攻独松关（第114回）。张清和董平瞒着卢俊义，不骑马，上关来战。董平因左臂受伤，战不过敌将厉天润。张清挺枪直搠厉天润不中，却搠在松树上，急切拔不出来，反被厉天润一枪戳在腹上身亡（第115回）。妻子琼英和叶清夫妇亲到独松关，扶柩到故乡彰德府安葬张清（第110回），后封忠武郎（第119回）。

龚 旺

龚旺，人称"花项虎"，浑身上下刺着虎斑，脖项上吞着虎头，因得绰号。马上会使飞枪，是东昌府马骑将张清的副将之一。与花荣、林冲战，用飞枪打二人不着，没了军器被捉。梁山人马回到山寨后，在忠义堂上宋江让放了龚旺，他入伙落草（第70回）。

石碣天文载，龚旺是七十二员地煞星中的地捷星。排座次时，龚旺是十七员步军将校之一（第71回）。童贯率官军攻打梁山泊，梁山泊以九宫八卦阵对敌，龚旺在张清率领下打前哨，在童贯军前诱敌出战（第76回）。童贯二打梁山，吴用布置十面埋伏。龚旺和张清、丁得孙为一部，张清用石子把官军将领周信打下马，他和丁得孙将周信用叉杀死（第77回）。

梁山招安后，奉旨征辽，攻打冀州，龚旺是卢俊义右军三十七头领之一（第84回）。昌平失利后，宋江得九天玄女之法，与辽再战，龚旺是攻辽国火星阵主将秦明辖下的七副将之一（第89回）。

征田虎，打下盖州后，又兵分两路夹击田虎，龚旺分拨到卢俊义一路（第93回）。在汾阳大战中，被敌将马灵用妖术打伤（第99回）。攻破敌都城威胜后，龚旺和丁得孙等从后宰门杀进宫去（第100回）。

宋江奉旨攻王庆。攻山南城时，依吴用之计，让水军头领以粮船为饵，诱敌打开城西水门劫掠。张横等乘机在水下，将伏有龚旺和项

地捷星花項虎龔旺

充等二十个步军头领的船只推入城去，杀上岸去（第106回）。攻荆南纪山，初战不利，吴用拟智取，龚旺同鲁智深等十四将领乘夜抄小路到纪山之后，乘敌出击，营内空虚之际，龚旺放号炮，鲁智深等杀上山去，夺了敌营（第107回）。

征方腊，宋江军扮成敌兵，渡江取润州，龚旺是第二拨船上张横的四偏将之一（第111回）。打下丹徒后，兵分两路，龚旺是卢俊义率领的攻打宣、湖二州的三十二偏将之一（第112回）。攻下湖州，呼延灼和龚旺等十九员将佐守卫。约定攻下德清后，与卢俊义所部到杭州聚齐（第114回）。攻打德清时，龚旺和敌将黄爱交锋，过一条溪时，连人带马陷在溪里，被南军乱枪刺死（第115回），后封义节郎（第119回）。

丁得孙

丁得孙，人称"中箭虎"，面颊连项都有疤痕。马上会使飞叉，是东昌府马骑将张清的副将之一。樊瑞、项充、李衮围攻丁得孙，丁得孙用飞叉打中了项充，后与吕方、郭盛交手，被燕青射中了丁得孙的马蹄，翻身倒下马来，被捉。梁山军马班师后，宋江在忠义堂上放了丁得孙，他入伙落草。

石碣天文载，丁得孙是七十二员地煞星中的地速星。排座次时，丁得孙是十七员步军将校之一（第71回）。童贯率官军攻打梁山泊，梁山泊以九宫八卦阵对敌，丁得孙在张清率领下打前哨，在童贯军前诱敌出战（第76回）。童贯二打梁山，吴用布置十面埋伏，丁得孙和张清、龚旺为一部，张清用石子把官军将领周信打下马，他和龚旺将周信用叉杀死（第77回）。

梁山招安后，奉旨征辽，攻打冀州，丁得孙是卢俊义右军三十七头领之一（第84回）。昌平失利后，宋江得九天玄女之法，与辽再战，丁得孙是攻辽国火星阵主将秦明辖下七副将之一（第89回）。

征田虎，打下盖州后，又兵分两路夹击田虎，丁得孙分拨到卢俊义一路（第93回）。在汾阳大战中，被敌将马灵用妖术打伤（第99回）。攻破敌都城威胜后，丁得孙和龚旺等从后宰门杀进宫去（第100回）。

地速星中箭虎丁得孙

宋江奉旨攻王庆。攻山南城时，依吴用之计，让水军头领以粮船为饵，诱敌打开城西水门劫掠。张横等乘机在水下，将伏有丁得孙和项充等二十个步军头领的船只推入城去，杀上岸去（第106回）。攻荆南纪山，初战不利。吴用拟智取，丁得孙同鲁智深等十四将领乘夜抄小路到纪山之后，乘敌出击，营内空虚之际，丁得孙放号炮，鲁智深等杀上山去，夺了敌营（第107回）。

征方腊，宋江军扮成敌兵，渡江取润州，丁得孙是第二拨船上张横的四偏将之一（第111回）。打下丹徒后，兵分两路，丁得孙是卢俊义率领的攻打宣、湖二州的三十二偏将之一（第112回）。攻下湖州，呼延灼和丁得孙等十九员将佐守卫。约定攻下德清后，与卢俊义所部到杭州聚齐（第114回）。围杭州丁得孙和穆弘等正偏将十一人去西山寨内，支援李俊等攻打靠湖门（第115回）。攻下杭州后，兵分两路，丁得孙和其他二十七位将佐随卢俊义攻打歙州和昱岭关（第116回）。攻歙州，初战不利，朱武料敌人晚间必来劫寨，让众将埋伏，丁得孙埋伏时被毒蛇咬伤了脚，毒气入腹而死（第118回），后封义节郎（第119回）。

皇甫端

皇甫端，人称"紫髯伯"，东昌府兽医，善相马。原是幽州人。碧眼黄须，貌若番人，因得绰号。皇甫端由张清举荐携妻小上了梁山（第70回）。

石碣天文载，皇甫端是七十二员地煞星中的地兽星。排座次时，皇甫端是掌管监造诸事十六头目之一，专攻兽医一应马匹，住梁山第二坡右一代房内（第71回）。

梁山招安后，奉旨征辽，攻下檀州，皇甫端随赵安抚与其他二十二位首领守御（第84回）。辽国统军兀颜光在昌平布下混天阵，皇甫端和众人在宋江带领下撞杀进去，结果大败，带伤马匹由他料理（第88回）。辽战结束，宋江带众人去五台山参禅，留皇甫端和其他三人同副帅卢俊义掌管军马，陆续班师（第89回）。

征田虎，打下盖州后，又兵分两路击田虎，皇甫端分拨到宋江一路（第93回）。宋江军北攻襄垣，皇甫端是三十一将佐之（第98回）。

宋江大军奉旨征王庆，军至阳翟，搭盖凉棚，发顿马匹，让皇甫端调活备用（第105回）。

胜王庆后，班师回京，皇甫端被留在宫内，驾前听用（第110回），任御马监大使（第120回）。

地獸星紫髯伯皇甫端

其他部分人物

洪　信

洪信，宋仁宗嘉祐三年，京师瘟疫流行，仁宗令洪信（洪太尉）去江西信州龙虎山请张天师禳灾。天师在山顶庵中，洪信去寻访，路遇猛虎毒蛇。见一道童，即天师，告诉洪信天师已知此事，去了东京，与天师失之交臂。众道请洪信游山，到一殿宇，上书"伏魔之殿"，他要打开看看，众道劝止不住。打开后，只见中央一石碑，下面石龟跌坐，石碑正面龙章凤篆，天书符箓，背面凿着四个真字大书"遇洪而开"。随即唤人放倒碑，掘起石龟，向下掘三四尺深，露石一片大青石板，后众人搬开石板，从黑洞中蹿出一股黑气，化作百十道金光，四散而去（第1回）。原来是祖老天师洞玄真人传下法符镇锁着的三十六员天罡星、七十二座地煞星。洪信回京后不敢汇报此事（第2回）。

住持真人

　　住持真人，江西信州龙虎山清宫住持。洪太尉来请张天师禳灾，住持真人带洪太尉游山。洪太尉要打开"伏魔之殿"大门，住持真人劝阻无效。打开后，见一龟驮石碑，洪太尉要掀开，住持真人再次劝阻，不听，终被掀开，一股黑气冲天（第1回）。住持真人告诉洪太尉，洞内镇锁的是三十六天罡星，七十二地煞星，如今放出，必恼下方生灵（第2回）。

宋徽宗

宋徽宗，宋神宗第十一子，哲宗弟，登基前为端王，排号九大王，哲宗死后册立为天子，帝号徽宗。登基半年，把亲随高俅提升为殿帅府太尉（第2回）。梁山军马攻下高唐州，宋徽宗令高俅亲率大军征讨（第54回）。元宵节宋徽宗到妓女李师师家，恰逢李逵在李师师家门前放火行凶，他匆匆而去（第72回）。李逵大闹泰安州后，宋徽宗同意御史大夫崔靖建议，派殿前太尉陈宗善去梁山泊招安（第74回）。

招安失败，宋徽宗下旨拿建议招安的崔靖大理寺问罪，同意派童贯率兵征讨（第75回），童贯大败而归。蔡京、高俅、童贯以天气太热、士兵水土不服等为由隐瞒了真相。宋徽宗同意高俅毛遂自荐再去攻打梁山（第78回）。高俅在攻打梁山期间，他又派天使去招安（第79回）。招安失败，宋徽宗同意再拨人马去支援征讨（第80回）。在李师师家宋徽宗见到了燕青，燕青向他说明了两次招安不成及童贯、高俅大败的真相（第81回）。次日，宋徽宗责问童贯隐瞒兵败之事，同意让御前太尉宿元景再去梁山招安。

宋江等招安后到东京，宋徽宗排宴欢迎。童贯启奏可将宋江等一百零八人骗到城内，一网打尽，宋徽宗犹豫不决（第82回）。宿元景竭力反对，又奏辽国犯边，推荐宋江等征讨，宋徽宗允准（第83回）。

辽国乞降求和，宋徽宗听了蔡京等四人意见，准予辽国请罪纳降（第84回）。宋江军马回京，宋徽宗要加官封爵，蔡京、童贯等故意延误（第90回）。田虎造反，宋徽宗同意宿元景奏议，让宋江军马去征田虎（第91回）。王庆在淮西造反，宋徽宗又让宋江人马去征伐（第101回）。

宋江班师回朝，宋徽宗命省院等部门官员计议封爵，又被蔡京、童贯阻拦。方腊造反，宋徽宗同意宿元景奏议，命宋江军马去征伐方腊（第110回）。宋江军马回东京，宋徽宗对生者、亡者皆封官爵（第119回）。蔡京、童贯、高俅、杨戬四人指使庐州土人告发卢俊义谋反，宋徽宗不相信，遂依蔡京、童贯建议，让卢俊义来京，他亲赐御膳御酒，以观动静，结果御膳中被高俅、杨戬下了水银，杀死了卢俊义。宋徽宗又听信了蔡京等四人的话，差天使给宋江送去御酒，宋江也被毒死。

宋江托梦于宋徽宗，说明屈死真相，次日查问此事，宿元景派人到楚州打探清楚，宋江确实已死。宋徽宗大骂高俅、杨戬，并让宋清承袭官爵，宋清不受。遂赐钱梁山泊，起盖庙宇，封宋江为忠烈义济灵应侯，塑宋江等人殁于王事的将佐神像，亲书"靖忠之庙"（第120回）。

高俅

高俅，原名高毬，排行老二，开封府汴梁宣武军的一个浮浪破落户子弟。好刺枪弄棒，踢得一脚好毬，故人称高毬，之后发迹，便改"毬"为"俅"。高俅会吹弹歌舞，相扑玩耍，也能胡乱学些诗书辞赋。因帮一个生铁王员外儿子使钱挥霍而被告，高俅被断了二十脊杖迭配出界发放，东京城人民不容他，他无计只得去淮西临淮州，投奔开赌坊的柳大郎（柳世权）。三年后大赦，柳世权写信把高俅推荐给东京开生药铺的董将士，董又把他转荐给小苏学士，小苏学士又做个人情，转荐他去神宗驸马王晋卿府里小王都太尉处。太尉是哲宗皇帝妹夫，喜欢风流人物，后高俅为小王都尉送礼物去神宗十一子端王府，正值端王踢毬，他偶然献技，讨得端王欢心，遂成了端王亲随。端王册立为天子后，即宋徽宗，徽宗半年之内，举荐高俅为殿帅府太尉。

到任之日，百官参拜，唯八十万禁军教头王进因患病未到。高俅挟嫌报复，逼得王进逃走，他下文书四处捉拿（第2回）。高俅的干儿子高衙内要夺林冲妻子，富安、陆谦出主意，让林冲误入白虎堂，陷害林冲（第7回）。高俅的兄弟高廉在高唐州被杀，他申奏朝廷，天子命他选将调兵攻打梁山。高俅举荐呼延灼为兵马指挥使（第54回），又调韩滔、彭玘兵马，三路攻打梁山（第55回）。元宵节高俅带兵在城内巡逻，遇到李逵等在李师师家门前放火行凶，高俅来追赶，其他梁山好汉也动了手（第72回）。高俅追到城外，梁山五虎将赶到，他赶紧回城防守。于是和童贯商议启奏天子早早调兵剿捕（第73回）。

陈宗善招安梁山失败，高俅和蔡京、杨戬保举童贯率兵出征（第75回）。童贯大败而回，高俅和蔡京、童贯商议，以天气太热、士兵水土不服等为由对天子隐瞒了真相，并毛遂自荐去打梁山，徽宗允准。

高俅调十节度使兵马出征，首战水陆都遭惨败（第78回）。二次再战，战舰受到火攻，大败亏输，逃到济州城里。这时徽宗又派人来招安，高俅依济州老吏王瑾建议，在诏书句读上耍了花招（第79回）。结果惹恼了梁山众好汉，花荣一箭将宣读诏书的天使射死。高俅再打梁山制造了大海鳅船，从水上进攻，途中他乘坐的船被凿漏水，他被张顺扔下水去活捉。宋江向高俅谢罪，后又和燕青相扑，被掀翻在地。三天后高俅被释放，梁山派萧让和乐和随他去东京面见朝廷，表明心迹，启奏招安事（第80回）。

回京后，高俅以染病不能征进，瞒过徽宗，又将萧让、乐和软禁（第81回）。高俅听到徽宗两次责问童贯两次兵败真相后，不敢入朝（第82回）。

宋江等人招安后，到了东京，蔡京、童贯、杨戬和高俅四人商议，让童贯启奏天子，可将宋江等骗进城来，一网打尽，徽宗不从（第82回）。辽国犯边，高俅和童贯等四人密而不报（第83回）。辽国乞降求和，高俅等四人收了贿赂，竭力促成此事（第84回）。罗戬、侯蒙向徽宗揭发了童贯和蔡京征讨王庆时丧师辱国之罪，蔡京就和高俅、童贯、杨戬计议，故意派罗、侯二人到征讨王庆阵前听用，待失败后治罪（第101回）。

宋江等人征方腊后，回京授官封爵，高俅和杨戬设计陷害。杨戬提出让庐州士人诬陷卢俊义图谋造反，状子到了蔡京手里，高俅和童贯、蔡京、杨戬定下计策，让庐州士人面见徽宗。蔡京和童贯提出可召卢俊义来京，赐以御膳御酒，观其虚实动静。高俅和杨戬在御膳内下了水银，害死了卢俊义。高俅和蔡京等四人又让徽宗赐酒宋江，高俅和杨戬心腹又在酒里下了慢药，将宋江害死（第120回）。

王 进

王进，八十万禁军教头，家有六旬老母，无妻，都军教头王升之子。高俅说王升是街市上使花枪卖药的。高俅任殿帅太尉，部下均来参拜祝贺，王进因病未到。高俅让手下打王进，众人劝说得免。高俅学使枪棒时，被王进父一棒打翻，高俅挟怨报复。王进畏惧，与母逃走，投奔延安府老种经略相公，途中借宿华阴县史家庄史太公家。因母病住了五七日，结识了史太公儿子九纹龙史进，指教史进十八般武艺，半年后离开史家庄西去（第2回）

王 伦

　　王伦,人称"白衣秀士",是落第秀才,和杜迁、宋万在梁山落草,王伦是头领。犯了弥天大罪的人多到王伦那里躲避。王伦和柴进交好,常有书信往来。柴进对他们有恩,柴进荐林冲来投奔王伦,他让林冲坐了第四把交椅,他担心林冲强过他们,日后占强,于是送五十两银子,让林冲下山。经众人劝阻,王伦要林冲下山杀一人,以表入伙决心(第11回)。林冲下山遇上杨志,二人厮杀,王伦出来制止,把杨志请到山上,劝杨志入伙,以便对付林冲。杨志不从,遂送杨志下山(第12回)。晁盖等六人来投梁山,王伦有嫉贤妒能之心,被吴用看出。王伦设宴招待六人时,表示不愿接待六人入伙,林冲一怒之下,将王伦杀死(第24回)。

梁中书

梁中书，名世杰，北京大名府留守司留守，太师蔡京女婿。杨志刺配来到留守司，梁中书过去在东京认识杨志，于是就留杨志在厅前使用。为了抬举杨志，让他与众将比武（第12回），杨志赢了副牌军，梁中书让杨志做了副牌军（第13回）。梁中书收买了十万贯庆贺蔡京生日的礼物，让杨志押解去东京（第16回）。卢俊义被妻子和管家李固告发要在梁山落草，梁中书把卢俊义下了死囚牢，后来收了蔡福、蔡庆的银子，又改判为刺配沙门岛。卢俊义被燕青救了后，又被捉去，再判死刑。石秀又劫了法场，梁中书下令关闭四门，捉拿卢俊义、石秀（第62回）。卢俊义、石秀被捉后，梁中书把二人押在死囚牢里（第63回）。梁山人马利用元宵节放灯机会，混进北京城杀将起来。梁中书在李成保护下走脱，途中又遇到闻达，三人逃得性命（第66回）。梁山人马撤出北京后，三人又回到城内（第67回）。

晁 盖

晁盖，人称"托塔天王"，郓城县东门外东溪村保正，本乡富户。仗义疏财，专爱结交天下好汉，山东、河北做私商的多来投奔。最爱刺枪使棒，身强力壮，不娶妻室。河对岸有一西溪村，河边常有鬼迷人下水。一僧人要人凿一青石宝塔镇住，鬼都赶到东溪村来。晁盖大怒，一人夺过青石宝塔，放在东溪村，故有托塔天王绰号。

一日，郓城县都头雷横在东溪村灵官殿上抓到一人，晚间到晁盖家暂歇，并通知了此事。晁盖饮酒间，借净手外出，到门房里找到了被抓的人。原来此人正要找晁盖，有笔钱财可取，二人遂相约以甥舅相认，晁盖假说被抓的是外甥王小三，瞒过雷横，放了此人。晁盖以十两银子赠予雷横，原来此人是赤发鬼刘唐，他听说北京大名府梁中书为岳父蔡京庆生辰，要送十万贯金珠宝贝去，特来报知晁盖，途中劫取，他欣然同意。刘唐又去追赶，要向雷横讨回十两银子，二人打斗，不分胜负，吴用遇上也劝止不住，晁盖赶到，二人住手。晁盖又邀请吴用到家商量劫取生辰纲事（14回）。吴用推荐"阮氏三雄"，共同举事。晁、吴、刘、"三阮"六人在晁盖家设誓劫取生辰纲。饮酒间，公孙胜求见，也来通报生辰纲事，不谋而合（第15回），七人聚义，晁盖坐了第一位。

六月初四日，晁盖和其他六人扮作贩枣子的客商，在黄泥冈歇凉，让曾投靠他的白胜，药酒麻翻了押解生辰纲的杨志和脚夫军汉，劫取了生辰纲（第16回）。一日，晁盖正和吴用、刘唐、公孙胜饮酒，他的心腹兄弟在郓城县做押司的宋江飞马而来，通知他生辰纲事发，白胜被抓，招供了他等七人。济州府观察何涛已来郓城，马上来东溪村抓晁盖，要他快走，郓城县都头朱仝、雷横来抓他，二人却有意把他放走（第18回）。

在石碣村他配合公孙胜的祭风火攻，大败官军。大家先到了朱贵酒店，又上了梁山。结果山寨寨主王伦不容，林冲火并了王伦（第19回）。林冲让晁盖坐了第一把交椅，重排座次，重新聚义。一日，接到朱贵报告，有一批客商途经梁山，晁盖决定劫取，但不得伤人。为报答宋江、朱仝，晁盖决定送些金银，并要搭救牢里的白胜（第20回），后又迎接花荣、秦明、黄信、燕顺、王英、郑天寿、吕方、郭盛、石勇入伙儿，重新结拜，晁盖仍坐第一位（第35回）。

宋江刺配江州，路过梁山，晁盖把宋江接到山上，劝他入伙儿，宋江不从（第36回）。宋江浔阳楼题反诗被捕，投入死囚牢。戴宗携江州蔡知府密信去东京报告蔡京，途经梁山，被朱贵麻翻酒醒后，送上梁山。晁盖知道宋江情况危急，要攻打江州，被吴用劝阻（第39回）。宋江、戴宗在江州被判死刑，晁盖带众人去劫法场，他扮作客商，把宋江、戴宗救出。到了白龙庙，晁盖与李逵、张顺、张横、李俊、童威、童猛、穆弘、穆春、薛永相识，参加了白龙庙二十九人聚义（第40回）。官军来追，被杀退后，到了揭阳镇穆太公庄上，宋江提出并安排了偷袭陷害晁盖的主谋无为军黄文炳家的计划，他也参加了这次行动，活捉了黄文炳，凌迟处死。而后与众人去梁山，途经黄门山，山寨寨主欧鹏等四人，迎他们上山，留宿一日。

到梁山后，晁盖让宋江坐第一把交椅，宋江不从（第41回）。宋江接父亲上山不成，反被官军追赶，晁盖亲自带人马下山接应，又派人把宋江一家接上山（第42回）。杨雄、石秀来投梁山，言及他们和时迁假冒梁山好汉偷鸡，时迁被祝家庄捉去事，晁盖认为三人假冒梁山好汉儿偷鸡，有损梁山声誉，要推出问斩，由众人劝说得免。一打祝家庄，晁盖坐寨留守（第47回）。朱仝上梁山，晁盖亲自到金沙滩迎接（第52回）。柴进被救上山，被安排住在宋江处（第54回）。

呼延灼大败梁山军马，晁盖下令水军牢固寨栅船只，保守滩头，晓夜提防，并让宋江上山安歇，宋江不肯。凌振被捉上山，晁盖开筵庆贺（第55回）。徐宁被赚上梁山，晁盖和众人给徐宁赔话，安排宴席庆贺（第56回）。孔亮来梁山找宋江，要晁盖和桃花山、二龙山、白虎山三山人马共同攻打青州。晁盖答应，要亲自出征，被宋江拦阻（第58回）。晁盖带兵攻打曾头市，曾头市派人扮作法华寺僧，诈称受曾家欺压，了解村内情况，愿意引军劫寨，他轻信而进兵劫寨，结果中计，面中毒箭而死（第60回）。

高衙内

　　高衙内,人称"花花太岁",原为高俅叔父高三郎儿子,是高俅的叔伯兄弟,却被高俅认作干儿子。高衙内在东京依势豪强,淫垢人家妻女,曾调戏林冲妻子,目的没有达到而生病(第7回)。

富安、陆谦

富安，人称"干鸟头"，高衙内帮闲。陆谦，高衙内虞候。富安给高衙内设计，让林冲朋友陆谦骗林冲出来喝酒，让高衙内藏在陆谦楼上，诈称林冲在陆谦处吃酒撞倒，骗林冲妻子到楼上。此计未成，又和陆谦设计让林冲误入白虎堂，陷害了林冲（第7回）。二人来到沧州，在李小二酒店内，请来差拨管营合谋，火烧林冲看守的草料场，企图把林冲烧死。结果二人和差拨反被林冲杀死（第10回）。

卖刀汉子

　　卖刀汉子，执行富安、陆谦计划陷害林冲的人物之一。卖刀汉子"卖刀"给林冲，让他带刀误入白虎节堂，给林冲罗织罪名（第7回）。

董超、薛霸

　　林冲刺配沧州，董超和薛霸是押解公人，接受了陆谦的贿赂，走到野猪林要杀害林冲（第8回），紧急关头被鲁智深所救。从此二人一路上好好服侍林冲，还随林冲在柴进庄上住了几日。到沧州交割后回东京（第9回）。二人因害林冲不成，被高太尉寻事，刺配到北京，又被梁中书留在留守司。卢俊义发配沙门岛，由他二人押解，使了李固的银子，要在途中杀害卢俊义，关键时刻，二人被燕青射死（第62回）。

牛 二

牛二，东京破落户泼皮，人称"没毛大虫"，开封府也治不了牛二。正遇杨志卖刀，牛二来纠缠，要强夺杨志的刀，并要打人，结果被杨志杀死（第12回）。

蔡 京

蔡京，太师（第12回）。陈宗善领旨去梁山招安，蔡京派心腹张干办随行。招安失败，蔡京启奏天子保荐童贯攻打梁山（第75回）。童贯大败而回，蔡京和童贯隐瞒了战败实情，他同意高俅毛遂自荐攻打梁山（第78回）。高俅攻梁山的同时，徽宗又派去天使招安，诏书让高俅做了手脚，触怒了吴用等人，结果花荣射死了读诏天使，招安失败。高俅密信送与蔡京和童贯、杨戬，蔡京启奏天子，要给高俅接应粮草，发兵支援（第80回）。

宋江等人招安后，到了东京，蔡京和高俅、童贯、杨戬四人商议，让童贯启奏天子，可将宋江等骗进城来，一网打尽，徽宗不从。辽国犯边，蔡京和高俅等四人密而不报（第83回）。辽国乞降求和，蔡京和高俅等四人收了贿赂，竭力促成此事（第84回）。宋江军马回京，徽宗要加官封爵，蔡京和童贯等故意延误（第90回）。一日，蔡京在武学讲论兵法，座中一人不听他讲（第100回），此人叫罗戬。这时徽宗来到武学，罗戬向徽宗奏明王庆在淮西造反及蔡京二子蔡攸丧师辱国之事。亳州太守侯蒙也向徽宗上书揭露蔡京、童贯丧师辱国之罪。蔡京就和杨戬、高俅、童贯计议，故意派罗、侯二人到征讨王庆阵前听用，待失败后治罪（第101回）。

宋江班师回朝。蔡京命省院等部门官员计议封爵，童贯和蔡京以

"天下尚未静平,不可升迁"为由,加以阻拦(第110回)。宋江等人征方腊后,回京授官封爵,杨戬和高俅设计陷害。杨戬提出让庐州土人诬陷卢俊义图谋造反,状子到了蔡京手里,他和童贯、高俅、杨戬定下计策,让庐州土人面见徽宗,他和童贯提出可召卢俊义来京,赐以御膳御酒,观其虚实动静。杨戬和高俅在御膳内下了水银,害死了卢俊义。蔡京和高俅等四人又让徽宗赐酒宋江,杨戬和高俅心腹又在酒里下了慢药,将宋江害死(第120回)。

何 涛

何涛，济州三都缉捕使臣，负责缉捕劫取生辰纲的七人和杨志。府尹给何涛十日期限，过期即刺配远州恶县，脸上已经刺好"迭配某某州"字样。何涛一筹莫展时，弟弟何清是个赌徒，说他有办法（第17回）。在何清帮助下，先抓住了白胜，又去郓城县缉拿晁盖等，何涛把这事告诉了宋江（第18回）。何涛与一捕盗巡检去石碣村捉拿"三阮"，自己反而被捉，被阮小七割去两只耳朵放回（第19回）。

阎婆惜

阎婆惜，十八岁，颇有姿色，会唱诸般耍令。由王婆撮合与宋江同居，后结识了宋江的同房押司张文远，阎婆惜逐渐冷淡了宋江（第20回），后被宋江杀死（第21回）。（参看宋江条）

武大郎

武大郎,生得短矮,诨名三寸丁谷树皮,武松兄。原住清河县,因受人欺负,来阳谷县紫石街居住。卖炊饼为生(第24回)。郓哥告诉武大郎潘金莲和西门庆通奸,武大郎去捉奸,反而遭打,之后被王婆、西门庆、潘金莲合谋毒死(第25回)。

潘金莲

　　潘金莲，二十二岁，颇有姿色，原为清河县大户人家女使。主人要调戏潘金莲，她不从，主人怀恨在心，把她嫁给了武大郎。武松来到哥哥武大郎家，潘金莲有意撩拨，被武松拒绝，之后由王婆牵线与西门庆勾搭成奸（第24回）。潘金莲按王婆的主意，毒杀了丈夫武大郎（第25回）。武松回来后，查问哥哥死因，潘金莲百般遮掩。武松请来四邻，当场逼她招出与西门庆通奸杀夫实情，画了押。被武松杀死（第26回）。（参看武松条）

王　婆

　　王婆，武大郎、潘金莲邻居。开茶坊，专门为人做媒拉纤。王婆设计让西门庆、潘金莲勾搭成奸（第24回）。王婆给西门庆、潘金莲出主意，毒死武大郎。武松回来后，要查明哥哥死因，把四邻请来，当场逼问，潘金莲承认了和西门庆的奸情及毒杀武大郎的实情，王婆无奈也招认了（第25回）。武松杀死了潘金莲、西门庆，王婆被武松带上公堂，收在监内，后解往东平府被剐（第27回）。

西门庆

西门庆，阳谷县破落户财主，开着生药铺。从小奸诈，使得些好拳棒。专在县里管些公事，与人放刁把滥，说事过钱，排陷官吏。人都怕西门庆并且让着西门庆。因排行老大，人都叫西门庆为西门大郎，西门大官人。偶然遭际潘金莲，在王婆撮合下，二人有了奸情（第24回）。西门庆拿来砒霜，和王婆、潘金莲合谋毒杀了武大郎（第25回）。武松杀了潘金莲，到石子桥下酒楼找到了西门庆，武松从楼上将他扔下楼去，割了他的头（第26回）。

郓 哥

　　郓哥，姓乔，十五六岁，家中只有一个老爹，以卖时鲜果品为生。西门庆也常买郓哥的水果，他有新鲜雪梨要卖于西门庆。有人告诉郓哥西门庆与潘金莲常在王婆家见面，他去了王婆家，被王婆哄出来（第24回），之后把西门庆、潘金莲的事告诉了武大郎，并给武大郎出主意，二人配合捉奸（第25回）。武大郎死后，郓哥向武松一五一十讲述了武大郎捉奸经过（第26回），并在知县面前做了证词。

何九叔

何九叔,阳谷县紫石街一带团头。武大郎被毒死,王婆把何九叔请来入殓尸骨,西门庆送银子与他,让他百事周全遮盖(第25回)。何九叔怀疑武大郎是中毒而死,火化时,何九叔偷偷将两块骨头藏起。武松回来后,查问哥哥死因,何九叔把西门庆送的十两银子和骨头交给了武松,后来又为武松在知县面前做了证词(第26回)。

蒋 忠

蒋忠，诨名"蒋门神"，是张团练由东路州带来的人。身躯长大，使得好枪棒，尤善相扑，仗势霸占了施恩的快活林酒店，被武松痛打一顿，给施恩夺回了酒店（第29回）。蒋忠把酒店还给施恩后，花了银子通过张团练说诱张都监陷害武松，武松刺配恩州，蒋忠和张团练又派他的徒弟和公人准备途中杀害武松（第30回）。武松大闹飞云浦，杀死了四个受蒋忠和张团练、张都监指使的公人、徒弟。武松又返回，蒋忠和张团练、张都监正在张都监鸳鸯楼上饮酒，等待杀害武松的消息，结果三人被武松上楼杀死（第31回）。

刘 高

刘高，清风寨知寨。刘高妻子为母上坟，被清风山王英掠去，要做压寨夫人，宋江劝说后，放她回去（第32回）。刘高乱行法度，无所不为，与副知寨花荣不和。宋江住在花荣处，元宵节出外游耍，被刘高妻子认出，告诉丈夫这就是掳掠她的贼头，宋江被捉，又被花荣救回。宋江连夜逃走，又被刘高抓住，刘高又和黄信配合拿了花荣（第33回）。刘高和黄信押解宋江、花荣去青州，途中燕顺等劫了囚车，刘高被捉，带上山去，被花荣杀死（第34回）。

黄文炳

　　黄文炳，江州对岸无为军地方的一个在闲通判。虽读经书，却嫉贤妒能，专在乡里害人。谄谀蔡九知府，指望推荐黄文炳再做官任职。黄文炳看到了宋江在浔阳楼上题的反诗，报告了蔡九知府。宋江被抓，宋江装疯也被黄文炳看破，又给蔡九知府出主意，上报蔡京（第39回）。戴宗带回梁山好汉冒充蔡京写的假信，也被黄文炳看出了图章的破绽。结果宋江、戴宗要被斩首，梁山人马劫了法场（第40回）。人们称黄文炳为黄蜂刺，家有五十口人。梁山人马为了报仇，杀了黄文炳全家，烧了房舍。黄文炳正在蔡府议事，闻讯忙渡江回来。在江中被李俊、张顺捉住，后被李逵凌迟而死（第41回）。

李 鬼

　　李鬼，冒充李逵名字剪径，拦截李逵，李逵要杀李鬼，李鬼诡称家有老母无人赡养，李逵饶了他的性命。李逵途中要买饭充饥，正好又是李鬼家。李鬼听信妻子的话，要麻翻李逵，谋他钱财，这话被李逵听到，遂将李鬼杀死（第42回）。

九天玄女

九天玄女，还道村玄女之庙女神。宋江在江州被梁山好汉劫法场救出后，回家探亲，被县里都头追赶，藏在玄女庙神厨里。都头赵能、赵得要用枪向神厨戳的时候，玄女刮起一阵怪风，救了宋江，并把宋江请到宫中，赐他三卷天书，只可与天机星（吴用）同观，别人不可看。又赠四句天言，送回宋江（第42回）。宋江率军征辽时，被兀颜统军的混天象阵打败，九天玄女托梦召宋江，面授破混天象阵之法（第88回）。

潘巧云

潘巧云,杨雄妻子,先嫁蓟州王押司,王死后又嫁杨雄(第44回)。潘巧云利用祭奠亡夫去世两周年,请来和尚裴如海来家做法事的机会,与和尚勾搭,之后她又以还愿为名到报恩寺与裴如海勾搭成奸,被石秀看出破绽,告诉了杨雄。潘巧云反诬石秀调戏她(第45回)。真相大白后,潘巧云被丈夫骗到蓟州城东翠屏山上杀死(第46回)。

裴如海

裴如海，蓟州报恩寺和尚，原是蓟州裴家绒线铺的儿子，出家在报恩寺。拜潘巧云父亲潘公为干爷，大潘巧云两岁，潘巧云称裴如海师兄。二人通奸，事发后裴如海被石秀杀死（第45回）。

祝朝奉

祝朝奉，独龙冈祝家庄人，有三个儿子，祝氏三杰，有五七百家佃户（第46回），三个儿子是祝龙、祝虎、祝彪。祝彪原跟扈三娘有婚约（第47回）。梁山三打祝家庄，攻破后，祝朝奉被石秀杀死，三个儿子也被杀（第50回）。

栾廷玉

栾廷玉,人称"铁棒",祝家庄枪棒教师(第47回)。宋江二打祝家庄,栾廷玉将欧鹏一飞锤打下马来(第48回)。栾廷玉和孙立曾同师学艺,孙立假作来郓州任职经过拜望,栾廷玉于是请孙立等进了祝家庄。三打祝家庄时,栾廷玉被杀(第50回)。

毛太公

　　毛太公，登州山下大户，有一子毛仲义，女婿王正，是登州六案孔目。解珍、解宝打死了老虎，滚进毛太公家后园，毛仲义却送到县里请赏。赖了解氏兄弟的老虎，反以图赖老虎、抢掠家财、打毁家什的罪名把解珍、解宝抓了起来。毛太公和儿子、女婿打通了知府关节，把解氏兄弟押在死囚牢里。后来孙立、孙新、顾大嫂等劫牢救了谢氏兄弟，之后毛太公全家被杀（第49回）。

白秀英

　　白秀英,从东京行院来郓城的粉头,色艺双绝,会唱诸般品调。白秀英和郓城新任知县在东京时就有来往,所以来郓城开勾栏,轰动郓城。雷横来听白秀英演唱,因没带赏钱,受到她父亲白玉乔奚落,雷横一气之下打了她父亲。白秀英到知县那里告状,知县按她的要求把雷横绑在勾栏门前示众。雷横母亲给儿子送饭和白秀英发生口角,被她痛打,雷横性起,一枷劈开了她的脑盖(第51回)。

高　廉

　　高廉，高俅叔伯兄弟，高唐州知府，兼管本州兵马。依仗高俅势力，无所不为。高廉妻弟殷天锡要霸占柴进叔父花园，被李逵打死。高廉捉了柴进下到牢里。梁山军马来救柴进攻打高唐，高廉用妖法两败宋江军马，后被杨林一箭射中，退回城里养伤（第53回）。宋江请来公孙胜两次破了高廉的妖法，后又被诱出城来，陷入重围。高廉用妖法驾一片黑云，腾空而起，公孙胜破了高廉的法术，高廉从空中倒栽下来，被雷横一刀挥作两段（第54回）。

罗真人

罗真人，住蓟州二仙山，公孙胜师父。戴宗、李逵来请公孙胜去破高廉妖法，罗真人不让公孙胜去。李逵就乘夜用斧头劈罗真人和一道童，罗真人却用两个葫芦幻化成自己和道童，又用法术把李逵弄到蓟州府衙内房上落下来，结果被当作妖人拿下，受尽折磨。后来罗真人又把李逵取回，并同意公孙胜去梁山（第53回）。宋江攻下蓟州，由公孙胜带领宋江等七人去参拜罗真人。罗真人预言宋江一生吉凶，写下八句法语相赠（第85回）。

贺太守

贺太守，华州太守，蔡京门人，为官贪婪害民。因在华山遇见随父王义还愿的王娇枝，强纳为妾，将王义刺配远州恶县。途中史进杀了公人，救了王义，又去刺杀贺太守，反被贺太守拿下。鲁智深进城要去救史进，贺太守在街上遇到鲁智深，看到和尚形迹可疑，诱到府内捉了（第58回）。严刑拷打后，把鲁智深下到死囚牢。梁山人马假冒宿太尉随从仪仗，到了西岳庙，把贺太守骗来参拜太尉，被解珍、解宝杀死（第59回）。

宿元景

宿元景，殿前太尉。奉旨带了御赐金铃吊挂去西岳降香。宋江等要去华州救史进、鲁智深，就逼着宿太尉借了金铃吊挂和衣冠仪仗，骗过华州贺太守，杀了贺太守，救出史进。事后，将用之物全部归还。宿元景申报中书省，途中遭劫，贺太守被害等事宜，急急回京（第59回）。高俅在梁山被俘，放回东京。高俅一口答应，回去奏本让天子招安。宋江等不放心，让燕青、戴宗携带被留作人质的闻焕章的书信，去见宿太尉，让他上达天子（第81回）。

宿元景奉旨去梁山招安成功（第82回）。童贯申奏要天子把梁山头领骗进城来杀害，一网打尽，宿元景出面反对，建议派宋江军马去征辽，天子同意。宿元景亲到宋江军前开读诏书（第83回）。辽国投降，宿元景奉旨到宋江军中，然后去辽国都城燕京颁诏（第89回）。宿元景受宋江之托，向天子保举宋江军马去征田虎，天子同意（第91回）。戴宗奉命来京报捷，宿元景面见道君皇帝说明宋江攻战真相，揭露了蔡京等四人攻击宋江丧师辱国的不实之词（第97回）。宋江征王庆，胜利回京。宿元景受宋江之托，面奏皇帝派宋江军去征讨方腊（第110回）。宋江被蔡京等四人害死后，曾托梦给徽宗。徽宗让宿元景派人去楚州查问，证实宋江、李逵、吴用、花荣等确实已经死亡，他如实报与徽宗（第120回）。

曾长者

曾长者，凌州曾头市人，原是大金国人，有五个儿子：曾涂、曾密、曾索、曾魁、曾升，号称曾家五虎（第60回）。曾长者又名曾弄。宋江军马攻打曾头市，曾长者走投无路，自缢而死。五个儿子皆被杀（第68回）。

李　固

　　李固，卢俊义家主管。原是东京人，来北京投相识不着，冻倒在卢俊义门前。卢俊义救了李固，养在家里，家人都叫他李都管。卢俊义误信了吴用算命的话，要去泰山烧香避灾做生意，让李固跟随，他无奈同去（第61回）。李固随主人被劫上梁山，主人留下，他先回了北京。李固本来和卢俊义妻子有染，二人于是同谋告发卢俊义谋反。李固上下使了钱，要害卢俊义。卢俊义刺配沙门岛，李固又贿赂公人董超、薛霸，欲在途中杀害卢俊义（第62回）。北京被梁山军马攻下后，李固被燕青抓获（第66回），被卢俊义剖腹剜心，凌迟处死（第67回）。

贾 氏

贾氏，卢俊义妻子，二十五岁。卢俊义要去泰山烧香避灾做生意，贾氏曾劝阻（第61回）。贾氏和管家李固有奸情，卢俊义和李固被梁山人马捉去，李固先回，于是二人合谋告发卢俊义谋反（第62回）。北京被梁山人马攻下后，贾氏被张顺抓住（第66回），之后被卢俊义剖腹剜心，凌迟处死（第67回）。

李巧奴

李巧奴,建康烟花娼妓,和安道全经常往来。安道全带张顺到李巧奴家,夜晚安道全住在她房内,张顺住在门首小房。安道全醉酒后,虔婆又让李巧奴偷偷接待在江上打劫的张旺。张顺曾被张旺打劫,扔在江里,张顺发觉后,把李巧奴杀死(第65回)。

史文恭

史文恭,曾头市曾长者家中枪棒教师。梁山军马攻打曾头市,史文恭曾把秦明刺伤。史文恭和曾家五兄弟劫寨中计,退回曾头市,又杀出西门逃走。途中被卢俊义一刀砍伤被俘,押到梁山,被剖腹剜心,祭祀晁盖(第68回)。

王观察

　　王观察，元宵节东京放灯，王观察是班直官，幞头边插翠叶花一朵，内有金牌，上凿"与民同乐"字样。有了宫花锦袄就可出入皇宫。燕青、柴进来东京看灯，柴进冒称是王观察的朋友，将他灌醉后，穿了他的衣冠，插了宫花，进入皇宫。在睿思殿将御书四大寇中"山东宋江"四字刻将下来。回来后，王观察还没醒，柴进把衣冠等还了他。醒来后，王观察不知何意，次日传来睿思殿"山东宋江"被刻去，他才恍然大悟，不敢说出（第72回）。

李师师

　　李师师，二十七岁，东京名妓，与宋徽宗交往密切。元宵节宋江到东京观灯，带着柴进、燕青等到李师师家，打算暗里行事，接近天子。喝茶时皇帝到来，三人匆匆离去。第二天燕青送给虔婆两块金子，又得与李师师见面，正在交谈饮酒中，宋江写了一首词，表达招安归顺朝廷之意。李师师不解其意，此时皇上从地道来到，宋江急忙躲藏（第72回）。

　　高俅三打梁山，大败被俘，放回东京。高俅满口答应皇帝前力奏保举让人来招安。宋江不放心，让燕青、戴宗去东京，燕青见了李师师，向她说明两次招安失败的原因，以及高俅攻打梁山失败的真相，望她上达天子。燕青又拜李师师为姐，认了虔婆李妈妈为干娘。道君皇帝到了李师师家，燕青见了皇帝，诉说了实情，她在一旁帮着说了一些好话（第81回）。

杨 戬

杨戬，太尉。元宵节杨戬陪徽宗到李师师家，恰遇李逵在门里，他上前查问，李逵把他打翻在地（第72回）。陈宗善去梁山招安失败，蔡京、高俅和杨戬都推荐童贯率兵出征（第75回）。后高俅攻打梁山失利，杨戬调拨人马支援（第80回）。宋江等人招安后，到了东京。蔡京、高俅、童贯和杨戬四人商议，让童贯启奏天子，可将宋江等骗进城来，一网打尽，徽宗不从。辽国犯边，杨戬和蔡京等四人密而不报（第83回）。辽国乞降求和，杨戬和蔡京等四人收了贿赂，竭力促成此事（第89回）。

罗戬、侯蒙向徽宗揭发了蔡攸、童贯征王庆时丧师辱国之罪。蔡京就和杨戬、高俅、童贯计议，故意派罗、侯二人到征讨王庆阵前听用，待失败后治罪（第101回）。宋江等人征方腊后，回京授官封爵。杨戬和高俅设计陷害，他提出让庐州土人诬陷卢俊义图谋造反，状子到了蔡京手里，他和童贯、蔡京、高俅定下计策，让庐州土人面见徽宗。蔡京和童贯提出可召卢俊义来京，观其虚实动静。杨戬和高俅在御膳内下了水银，害死了卢俊义。杨戬和高俅等四人又让徽宗赐酒宋江，他和高俅心腹又在酒里下了慢药，将宋江害死（第120回）。

童　贯

童贯，枢密院枢密。元宵节李逵等大闹东京后，童贯和高俅商议启奏天子，攻打梁山（第73回）。陈宗善去梁山招安失败，童贯和蔡京、高俅、杨戬商议对策，他自愿领兵去打梁山。由蔡京、高俅推荐，童贯受金银兵符，拜为大元帅（第75回）。童贯调来东京管下八路军州人马出征，结果大败而回（第76回）。二次再战，失败更惨。童贯和部将毕胜二人逃得性命，不敢回济州，连夜径投东京（第77回），童贯和蔡京、高俅商议，以天气太热、士兵水土不服等为由对天子隐瞒了真相（第78回）。徽宗由燕青口中知道了真相，责问童贯隐瞒军情等事。宋江等人招安后，到了东京，蔡京、高俅、童贯、杨戬四人商议，让童贯启奏天子，可将宋江等骗进城来，一网打尽，徽宗不从（第82回）。

辽国犯边，童贯和蔡京等四人密而不报（第83回）。辽国乞降求和，童贯和蔡京等四人收了贿赂，竭力促成此事（第89回）。宋江军马回京，徽宗要加官封爵，童贯和蔡京等故意延误（第90回）。罗戬、侯蒙向徽宗揭发了童贯和蔡攸征讨王庆时丧师辱国之罪，蔡京就和童贯、高俅、杨戬计议，故意派罗、侯二人到征讨王庆阵前听用，待失败后治罪（第101回）。宋江班师回朝，徽宗命省院等部门官员计议封爵，童贯和蔡京以"天下尚未静平，不可升迁"为由，加以阻拦（第

110回）。

打方腊时，童贯率大将王禀、赵谭到宋江军前助阵（第117回）。宋江等人征方腊后，回京授官封爵。杨戬和高俅设计陷害，杨戬提出让庐州土人诬陷卢俊义图谋造反，状子到了蔡京手里，童贯和杨戬、蔡京、高俅定下计策，让庐州土人面见徽宗。蔡京和童贯提出可召卢俊义来京，赐以御膳御酒，观其虚实动静。杨戬和高俅在御膳内下了水银，害死了卢俊义。童贯和高俅等四人又让徽宗赐酒宋江，杨戬和高俅心腹又在酒里下了慢药，将宋江害死（第120回）。

刘太公

刘太公，有一女儿被诈称宋江的强人和一后生抢去。李逵、燕青路过这里，住在刘太公家。李逵听说此事后，回到山寨把宋江、柴进带来对证，刘太公告诉李逵不是这两人。后来李逵、燕青找到并杀死了抢去刘太公女儿的强人，把刘太公的女儿救出交给了他，他又去梁山送礼感谢（第73回）。

任　原

　　任原，太原府人，相扑好手，身长一丈，自号"擎天柱"。在泰安州两年比试无对手（第73回），有二三百个徒弟。燕青和任原相扑，燕青从擂台上把他扔下，晕了过去，李逵又用石板把任原的头打得粉碎（第74回）。

郎 主

郎主，辽国国王。起兵攻宋，侵占山后九州边界，四路而入，抢掠山东、山西、河南、河北。宋江军马杀至檀州，郎主特差两个侄子耶律国珍、耶律国宝率兵去救（第83回）。檀州、蓟州失守后，郎主召集群臣商议对策（第84回）。欧阳侍郎献计说服宋江归降，郎主让欧阳侍郎接洽，后中诈降之计，丢了霸州，郎主要斩欧阳侍郎，被兀颜统军劝阻，共商对策（第85回）。贺统军提出自己可引诱敌军陷兵青石峪，郎主让贺统军前去。幽州失陷后，又召群臣商议，同意兀颜光统军迎敌（第86回）。兀颜前锋失利，奏请郎主御驾亲征。兀颜光摆成太乙混天象阵，郎主居中军（第88回）。宋江军马破了太乙混天象阵，郎主退入燕京，让褚坚出城议降，宋朝廷允准，罢战投降（第89回）。

田 虎

田虎，威胜州沁源县猎户，有膂力，熟武艺。值水旱频仍，民穷财尽时，田虎哨聚山林侵州夺县，官兵不敢迎其锋，占有五州五十六县。在汾阳造起宫室，称为晋王（第91回）。晋宁失守，昭德危急，田虎召集群臣商议对策，同意国舅邬梨、马灵去汾阳退敌（第97回）。率大军十万去昭德，途中遇雨，在铜鞮山驻扎。正要与宋江军交锋，忽报其他几处丢城折将，形势不利，于是急退兵威胜，途中被宋江军杀散。全羽（张清）前来接应要田虎进襄垣暂避，未及进城，知是中计。张清、叶清追赶，琼英母阴魂报仇，田虎受惊落马，被张清、叶清生擒，解往宋江处，又押往东京（第100回），在东京被凌迟碎剐（第101回）。

乔道清

乔道清，原名乔冽，陕西泾原人。自幼喜使枪弄棒，曾得崆峒山异人传授幻术，能呼风唤雨，驾云腾雾。去罗真人处学道，因乔道清攻于外道，不悟玄机，真人不纳，人称"幻魔君"。之后到安定州，该地久旱不雨，乔道清使法术，大降甘霖，所得赏钱为一库吏克扣，他将库吏打死，携母逃至威胜，扮作道人，改名乔清，法号道清。

后投田虎，封护国灵感真人、军师左丞相，都称他国师乔道清。宋江军马攻壶关，乔道清请缨迎敌，和孙安二人加封征南大元帅，拨给乔道清两万军马，由两位团练统领。乔道清率偏将四员先行，率两千人马，到了昭德十里处，知壶关已经失守，宋江军马正攻打昭德。乔道清在昭德城外与宋江军交手，利用妖术，将李逵等五百人马罩住活捉（第94回）。

乔道清大败宋江军，又捉了鲁智深、武松、刘唐，和樊瑞比法术，樊瑞大败，后被公孙胜破了术法（第95回）。再次与公孙胜斗法，结果大败。最后逃到昭德东北百谷岭，躲在神农庙中，被公孙胜团团围住（第96回）。旧友孙安来劝降，乔道清率费珍、薛灿下山归降，拜公孙胜为师（第97回）。

王庆将校寇威用妖火在西京大败卢俊义军马。乔道清赶来破了妖法，挥剑把寇威斩作两段。宋江军马攻西京城，乔道清作法，二更雾起，笼罩西京，不见五指。宋江军马乘机登城，攻下西京（第108回）。攻下南丰，平了王庆后，乔道清离开宋江军马，飘然而去，后到罗真人处，从师学道，以终天年（第110回）。

孙 安

孙安，陕西泾原人，颇知韬略，膂力过人。为父报仇，杀死二人，弃家而走，投奔了乔道清。拒敌有功，田虎授孙安殿帅之职。宋江攻打晋宁，孙安请缨统领十员偏将支援（第94回）。来到晋宁，城已失守。孙安在城外与卢俊义大战，使用绊马索绊倒，被擒归降。乔道清被宋江人马围困百谷岭（第97回）。孙安和乔道清原来是朋友，愿去劝降乔道清，乔道清于是下山归顺（第97回）。攻打王庆占领的宛州时，孙安杀了守城副将鲁成。又请缨与其他十六员田虎降将做前部（第105回）。

攻打田虎的西京，朱武与田虎统军奚胜斗阵法，命杨志和孙安及卞祥打阵挑战。奚胜战败，孙安和卞祥追赶（第107回）。结果兵陷谬䇲谷，后解脱。王庆派杜壆来援西京，孙安出阵厮杀，将敌将卓茂一剑杀死，孙安又砍断了杜壆的右臂而落马，被卢俊义一枪把杜壆刺死（第108回）。宋江兵马在南丰城外十里和王庆大战，孙安奉命带七员副将，扮作王庆军马要去赚开南丰城门，结果被敌人识破。七副将落入陷坑而死，孙安一人杀进城去，占了东门。后宋江大军到来，夺了南丰（第109回），孙安却患暴疾而卒（第110回）。

琼 英

琼英，邬梨养女。邬梨去支援昭德，迎战宋江兵马。琼英被邬梨推荐为先锋。田虎封琼英为郡主。琼英武艺精熟，并有神异手段，手飞石子，百发百中（第97回）。年十六，本姓仇，父名申，汾阳府介休绵上人，颇有家资。母为平遥县宋有烈之女。外祖父死，父母奔丧，父在途中被田虎人马杀死，母被掳去，琼英由自家主管叶清夫妇抚养，后田虎兵马摽掠，叶清和她被邬梨掳去。

邬梨妻子倪氏非常喜爱琼英，自己不能生育，收她为养女。后来叶清知道主母因不愿做田虎压寨夫人而跳崖自杀，叶清让妻子把事情原委告诉了琼英。她日夜思报父母之仇，梦中神人传授武艺，又得张清梦中传飞石打人之法。邬梨要为琼英择婿，她定要会飞石的人才嫁。在襄垣与宋江军交锋，刺伤王英，用石子连伤扈三娘、孙新、林冲、李逵、解珍。邬梨中了毒箭，叶清暗通宋江，请安道全、张清分别化名全灵、全羽给邬梨治病。全羽曾与琼英在府内比武，二人有心，后结为夫妇。

张清说明真实姓名，二人鸩死邬梨，杀死襄垣守将徐威，封锁消息（第98回）。乘田虎率大军出威胜奔昭德时，琼英按吴用密计，到威胜城下，诈称保护田虎回京，赚开了城门，夺了威胜。生擒田虎后，琼英和张清、叶清押解田虎、田彪、田豹到威胜城外宋江处。宋江标记琼英夫妇功劳,她要到太原石室山寻觅母亲尸骸,宋江让张清、叶清同去(第100回)。琼英又和张清、叶清奉宋江之命,押解田虎等去东京。受到皇帝嘉奖,封为贞孝宜人。田虎被碎剐后,琼英用田虎首级祭奠父母。琼英、张清、叶清三人离开东京又去宛州,征讨王庆(第101回)。

攻打王庆的宛州时,琼英和张清率十七员田虎降将做前部(第105回)。攻打王庆山南城隆中山北麓,琼英用石子将王庆守土四勇将之一的陈赟一石子打下马来(第106回)。攻打纪山,琼英用石子将敌将滕戣打下马来刺死(第107回)。攻王庆,攻入南丰时,段三娘要逃走,被琼英遇上,一石子打中段三娘面门,落马后,为军士生擒(第109回)。宋江军马征方腊,琼英因怀孕染病,留在东京,后生一子张节。张清战死独松关,琼英和叶清夫妇亲到独松关,扶柩到张清故乡彰德府安葬。叶清死后,琼英与叶清妻子安氏苦守孤儿(第110回)。

叶 清

叶清，原为琼英家主管。琼英父亲被田虎杀死，母亲被掳去。叶清抚养琼英，后琼英被田虎的邬梨国舅劫去，收作养女，让叶清妻子安氏陪伴。邬梨国舅奏请田虎封叶清做个总管，和主将徐威镇守襄垣。宋江军马与邬梨国舅军马在襄垣大战，叶清化装到了宋江军营，备述琼英身世。宋江让叶清带安道全、张清扮作医生，为邬梨国舅治疗箭伤。后叶清又撺掇琼英与张清结为夫妇，二人鸩杀了邬梨国舅后，叶清去威胜报知田虎琼英招赘郡马事（第98回），见了田虎后回到襄垣。

叶清后又去面见田虎，请田虎添差良将恢复昭德，又买通了田虎岳父，劝田虎御驾亲征（第99回）。田虎在襄垣中计兵败，叶清和张清捉了田虎。又和张清夫妇押解田虎、田豹到威胜城外宋江处（第100回）。叶清又奉宋江之命，和张清、琼英一起押解田虎等去东京，受到皇帝嘉奖，命为正排军，赏银五十两。宋江军马征方腊，琼英怀孕染病留在东京，叶清和妻子服侍。张清战死独松关，叶清夫妇又和琼英扶柩回彰德府安葬，后叶清因病而死。叶清妻子安氏与琼英苦守张清孤儿（第110回）。

王　庆

　　王庆，原为东京开封府内副排军，父为东京大富户，放刁把滥，排陷善良。王庆自幼浮浪，不去读书，专好斗鸡走马，使枪抡棒，吃喝嫖赌，几年之内，家产荡尽。一日，到玉津圃游玩，与童贯侄女娇秀相遇，后勾搭成奸，事情败露（第101回）。王庆遇到一个算命先生说他明日有灾，这是童贯知道了他和自己侄女的奸情，吩咐开封府尹要寻他的罪过。府尹就借故把王庆拿到开封府，顶他一个捏造妖术、煽惑愚民、图谋不轨的罪名，刺配陕州，行前岳丈又逼他写了休妻文书。

　　途中在西京新安县一市上，见一大汉使棒，王庆批评是"花棒"，大汉要和他比武，结果他带枷赢了。附近龚家村的龚瑞、龚正兄弟把王庆邀至家中，拜他为师（第102回）。黄达来龚家村讨债，与龚氏兄弟发生口角，黄达动手，王庆一枷把黄达打倒。王庆到陕州牢城营。牢城管营张世开正是在市上耍棒被他打了的大汉的姐夫，大汉叫庞元，人称庞大郎。张管营千方百计摆布他。一晚，张管营和妻子、庞元正商讨要害王庆，被潜在房外的王庆听得明白，于是将张管领、庞元杀死，连夜越城而逃。

　　途中遇到姨表兄范全，范全把王庆带到房州，消去脸上金印，改名李德，安插在城外几间草房内（第103回）。一日，到段家庄看戏，赌钱赢了段二、段五，结果打起来，又和段二的妹子段三娘摔跤。范全到来，双方认识，后王庆与段三妹子结婚。由于黄达告了王庆，新婚之夜，府尹来捉拿王庆。众人于是舍弃家园随他一起上房山落草。山寨寨主不纳，王庆杀死寨主，众人立他为寨主（第104回）。趁房州发生兵变，占了州城。招兵买马，连下三城，夺了荆南，自称楚王（第105回）。宋江军马来攻，西京、荆南丢失，宋江军抵达王庆的都城南丰，他亲自督战（第108回）。王庆出城十里列阵迎敌，败于宋江的九宫八卦阵，逃到云安属下开州，过清江时，被化装成渔民的李俊等水军活捉，押到宋江处（第109回），解往东京凌迟而死（第110回）。

方　腊

歙州人，原为一樵夫。因去溪边洗手，水中照见自己头戴平天冠，身穿衮龙袍。依此宣传自己有天子福分。当时社会腐败，民不聊生，人心思变，他乘机造反。在清溪县内帮源洞中，起造宫殿，设立文武百官，占领八州二十五县，他自为国王（第110回）。

宋江等平王庆后，主动请缨征讨方腊。柴进化名柯引结识了方腊左丞相，由左丞相引荐推举，见了方腊，讨得他的欢心。招柯引为驸马（第116回）。宋江兵马逼近清溪，方腊在清溪帮源洞中与百官商讨对策，决定亲自出马督战。此时方腊听到歙州战败消息，他立即下令收兵，确保大内。他见清溪已被宋江军马攻入，混战后，由他的侄子方杰保驾逃进帮源洞中。

被围数日后，柯引主动要求出战（第118回）。方腊同意，让柯引和方杰洞前列阵。双方交战中，方腊在帮源洞山顶观战，眼见侄子被宋军杀死，柯引亮明身份是柴进。之后他便往深山中逃走，在山中被鲁智深打翻被擒，交给了宋江，押往东京处置，于东京凌迟处死，被剐后，示众三日（第119回）。

附录一

《水浒全传》一百零八将出场次序、回目

出场次序	人物	回目	出场次序	人物	回目
1	史 进	2	21	阮小七	15
2	朱 武	2	22	公孙胜	15
3	陈 达	2	23	白 胜	15
4	杨 春	2	24	曹 正	17
5	鲁 达	3	25	宋 江	18
6	李 忠	3	26	宋 清	18
7	周 通	5	27	武 松	23
8	林 冲	7	28	孙二娘	27
9	柴 进	9	29	张 青	27
10	杜 迁	11	30	施 恩	28
11	宋 万	11	31	孔 亮	32
12	朱 贵	11	32	孔 明	32
13	杨 志	12	33	燕 顺	32
14	索 超	13	34	王 英	32
15	朱 仝	13	35	郑天寿	32
16	雷 横	13	36	花 荣	33
17	刘 唐	14	37	黄 信	33
18	吴 用	14	38	秦 明	34
19	阮小二	15	39	吕 方	35
20	阮小五	15	40	郭 盛	35

出场次序	人物	回目	出场次序	人物	回目
41	石勇	35	65	裴宣	44
42	戴宗	36	66	杨雄	44
43	李立	36	67	石秀	44
44	李俊	36	68	时迁	46
45	童威	36	69	杜兴	47
46	童猛	36	70	扈三娘	47
47	薛永	36	71	李应	47
48	穆春	37	72	解珍	49
49	穆弘	37	73	解宝	49
50	张横	37	74	乐和	49
51	张顺	37	75	顾大嫂	49
52	李逵	38	76	孙新	49
53	萧让	39	77	邹渊	49
54	金大坚	39	78	邹润	49
55	侯健	41	79	孙立	49
56	欧鹏	41	80	汤隆	54
57	蒋敬	41	81	呼延灼	55
58	马麟	41	82	韩滔	55
59	陶宗旺	41	83	彭玘	55
60	朱富	43	84	凌振	55
61	李云	44	85	徐宁	56
62	杨林	44	86	樊瑞	59
63	邓飞	44	87	项充	59
64	孟康	44	88	李衮	59

出场次序	人物	回目	出场次序	人物	回目
89	段景住	60	99	单廷珪	67
90	卢俊义	60	100	魏定国	67
91	燕青	61	101	焦挺	67
92	蔡福	62	102	鲍旭	67
93	蔡庆	62	103	郁保四	68
94	宣赞	63	104	董平	69
95	关胜	63	105	张清	70
96	郝思文	63	106	龚旺	70
97	王定六	65	107	丁得孙	70
98	安道全	65	108	皇甫端	70

附录二

《水浒全传》一百零八将先后死亡、离去次序

次序	人物	死亡及离去情况
1	公孙胜	破王庆班师回京。离开军营回蓟州,继续从师学道,侍养老母
2	金大坚	破王庆班师回京。留在朝廷,任职内府御宝监
3	皇甫端	破王庆班师回京。留在朝廷,任内府御马监大使
4	萧 让	破王庆班师回京。被蔡京留在府内做代笔和门馆先生
5	乐 和	破王庆班师回京。被王都尉留在府内听用
6	宋 万	征方腊,攻润州,在阵中中箭身亡
7	焦 挺	征方腊,攻润州,在阵中中箭身亡
8	陶宗旺	征方腊,攻润州,在阵中中箭身亡
9	韩 滔	征方腊,攻常州,被敌将刺中咽喉而死
10	彭 玘	征方腊,攻常州,被敌将张近仁刺死
11	郑天寿	征方腊,攻宣州,被敌兵从城上推下的磨扇砸死
12	曹 正	征方腊,攻宣州,中毒箭而死
13	王定六	战王庆,攻打宣、湖二州时,中毒箭而死
14	宣 赞	征方腊,攻苏州,与敌将郭世广鏖战,双双战死
15	施 恩	征方腊,攻常熟时,落水溺亡
16	孔 亮	征方腊,在昆山阵中,落水溺亡
17	安道全	征方腊期间,上皇有疾,圣旨传他去京,后做了金紫医官

次序	人物	死亡及离去情况
18	郝思文	杭州一战中,被方腊军俘虏杀害
19	徐　宁	杭州一战中,中方腊军毒箭而亡
20	张　顺	杭州一战中,在水中被方腊军乱箭射死
21	周　通	征方腊,在独松关被敌将厉天润杀死
22	张　清	征方腊,在独松关被敌将厉天润杀死
23	董　平	征方腊,在独松关被敌将张韬杀死
24	雷　横	在德清县,被王庆军将司行方杀死
25	龚　旺	征方腊,攻打德清,坐骑陷在溪中,被敌军乱枪刺死
26	索　超	征方腊,围杭州,中了敌将石宝之计,被一锤打下马来身亡
27	邓　飞	征方腊,围杭州,被敌将石宝杀死
28	刘　唐	征方腊,攻杭州,在候潮门被水闸闸板砸死
29	鲍　旭	征方腊,围杭州,被敌将石宝杀死
30	侯　健	征方腊,攻杭州,风急浪高船破,落水身亡
31	段景住	征方腊,攻杭州,风急浪高船破,落水身亡
32	阮小二	征方腊,不愿被俘受辱而自刎
33	孟　康	征方腊,攻桐庐,被火炮击中头部身亡
34	解　珍	征方腊,攻桐庐,不愿被俘,坠崖身亡
35	解　宝	征方腊,攻桐庐,被乱箭射死
36	王　英	征方腊,攻睦州,被敌将郑彪刺死
37	扈三娘	征方腊,攻睦州,被敌将郑彪用铜砖打死

次序	人物	死亡及离去情况
38	李衮	征方腊,攻睦州,身陷溪中,被敌军乱箭射死
39	项充	征方腊,攻睦州,被绳索绊倒,被敌人乱刀杀死
40	马麟	征方腊,攻睦州,先被标枪击中,后被敌人石宝朴刀杀死
41	燕顺	征方腊,攻睦州,被敌将石宝用流星锤打死
42	郭盛	征方腊,攻睦州,被山上滚下的巨石砸死
43	吕方	征方腊,攻睦州。在马上与敌将白钦互相撕扯时,双双从山上坠下身亡
44	史进	征方腊,攻打昱岭关,中了埋伏,被乱箭射死
45	石秀	征方腊,攻打昱岭关,中了埋伏,被乱箭射死
46	陈达	征方腊,攻打昱岭关,中了埋伏,被乱箭射死
47	杨春	征方腊,攻打昱岭关,中了埋伏,被乱箭射死
48	李忠	征方腊,攻打昱岭关,中了埋伏,被乱箭射死
49	薛永	征方腊,攻打昱岭关,中了埋伏,被乱箭射死
50	欧鹏	征方腊,攻打歙州,中庞万春连珠箭而亡
51	张青	征方腊,攻打歙州,死于乱军之中
52	丁得孙	征方腊,攻打歙州,潜伏时被毒蛇咬伤而死
53	单廷珪	征方腊,攻打歙州,落入陷阱,敌人枪箭齐发而死
54	魏定国	征方腊,攻打歙州,落入陷阱,敌人枪箭齐发而死
55	李云	征方腊,战歙州。他是步斗,敌将王尚书驱马将他踏死
56	石勇	征方腊,战歙州,为救李云,被方腊军王尚书刺死
57	秦明	与方腊军对阵中,被敌将方杰刺死

次序	人物	死亡及离去情况
58	郁保四	攻打方腊军都城清溪时，被敌将杜微杀死
59	孙二娘	攻打方腊军都城清溪时，被敌将杜微杀死
60	邹渊	攻入方腊宫殿时，阵中被马军踏死
61	杜迁	攻打方腊都城清溪时，被马军踏死
62	李立	攻打方腊都城清溪时，受重伤不治身亡
63	汤隆	攻打方腊都城清溪时，受重伤不治身亡
64	蔡福	攻打方腊都城清溪时，受重伤不治身亡
65	阮小五	在攻打方腊都城清溪的混战中，被方腊的娄丞相杀死
66	张横	征方腊攻下杭州后染瘟疫，不治身亡
67	穆弘	征方腊攻下杭州后染瘟疫，不治身亡
68	孔明	征方腊攻下杭州后染瘟疫，不治身亡
69	朱贵	征方腊攻下杭州后染瘟疫，不治身亡
70	白胜	征方腊攻下杭州后染瘟疫，不治身亡
71	朱富	征方腊攻下杭州后染瘟疫，不治身亡
72	鲁智深	征方腊后，拒绝了宋江要他做官的邀请，在杭州六和寺圆寂
73	武松	征方腊后，留杭州六和寺出家，八十寿终
74	林冲	征方腊后班师回京，他突患风瘫，羁留杭州，后病死
75	杨雄	征方腊后班师回京，行前他生背疮而死
76	时迁	征方腊后班师回京，行前患绞肠痧而死
77	杨志	征方腊，攻下丹徒后患病死亡

次序	人物	死亡及离去情况
78	燕青	征方腊后班师回京,劝卢俊义急流勇退,不听,独自离去
79	李俊	征方腊后班师回京,诈称有疾,驾船出海,做了暹罗国王
80	童威	征方腊后班师回京,他和李俊等驾船出海,在暹罗做官
81	童猛	征方腊后班师回京,他和李俊等驾船出海,在暹罗做官
82	戴宗	征方腊后班师回京,他却去泰安岳庙出家,后大笑而终
83	阮小七	征方腊后班师回京,因被谗夺去官职,回乡奉养老母
84	柴进	征方腊后班师回京。诈称有风疾,弃官回沧州为民。
85	李应	征方腊后班师回京,纳还官印,回乡为民
86	杜兴	征方腊后班师回京,弃官随李应回乡为民
87	关胜	征方腊后班师回京。任大名府兵马总管,后患病亡故
88	呼延灼	征方腊后班师回京,任御营兵马指挥使,与大金交战中阵亡
89	朱仝	征方腊后班师回京,战大金有功,官至太平军节度使
90	黄信	征方腊后班师回京,仍回青州任职
91	孙立	征方腊后班师回京,仍回登州任用
92	孙新	征方腊后班师回京,随孙立回登州任用
93	顾大嫂	征方腊后班师回京,随丈夫孙立回登州任用
94	邹润	征方腊后班师回京,不愿为官,又回到登州登云山
95	蔡庆	征方腊后班师回京,随关胜回北京为民
96	裴宣	征方腊后班师回京,和杨林一起重回饮马川,任职求闲

次序	人物	死亡及离去情况
97	杨　林	征方腊后班师回京，和裴宣一起重回饮马川，任职求闲
98	蒋　敬	征方腊后班师回京，思念故乡，回檀州为民
99	朱　武	征方腊后班师回京，先随樊瑞学道，后随公孙胜出家
100	樊　瑞	征方腊后班师回京，先做云游道人，后随公孙胜出家
101	穆　春	征方腊后班师回京，回故乡揭阳镇，再做良民百姓
102	凌　振	征方腊后班师回京，仍任职于火药局御营
103	卢俊义	征方腊后班师回京，夜深醉归，落水而死
104	宋　江	征方腊后班师回京，饮了高俅、杨戬的毒酒而死
105	李　逵	征方腊后班师回京，宋江担心他死后，李逵造反，就在酒中下了慢性毒药，后毒发身亡
106	吴　用	征方腊后班师回京，与花荣同时自缢身亡
107	花　荣	征方腊后班师回京，与吴用同时自缢身亡
108	宋　清	征方腊后班师回京，宋江死后，他拒绝承袭官职，回乡务农

附录三

一百二〇回《水浒全传》细节的矛盾

《水浒传》是中国古典长篇小说的佼佼者，深受广大读者的喜爱。一百二〇回本较百回本增加了征田虎、征王庆的情节。游国恩等编写的《中国文学史》评论一百二〇回本增加的这部分说"文字比较简略"。这一简略，就出现了一些细节的矛盾。上海古籍出版社1984年出版的《水浒全传》中《再版说明》也指出："七十一回以后虽有一些精彩节目，但情节时有矛盾。"本文就一百二〇回本征田虎、王庆诸回目中存在的问题以及百回本和一百二〇回本共同存在的不妥之处做些讨论。

秦明在攻打田虎时下落不明

第九十三回宋江所部兵分两路攻打田虎：东路以宋江为正先锋，管领正偏将佐四十七员；西路以卢俊义为副先锋，带领正偏将佐四十员，其中就有秦明，而且排在军师朱武下第一名。东路是由现在的山西、河北交界处的黎城壶口关出发，沿今长治至太原的铁路线，到达潞城、榆社一带。西路是由现在的临汾一带出发，沿今同蒲铁路线北上至霍县、介休、平遥、祁县一带。而田虎的活动中心则在上述两条路线中间的沁县、沁源一带，基本上控制了晋中和晋东南地区。这样田虎就处于宋江和卢俊义东西两路军马的钳形攻势之下。

宋江东路人马一开始就在壶口关受阻。田虎的征南大元帅乔道清会妖术，大败宋江。这时公孙胜赶到，与乔道清斗法。阵前乔道清把手往部将费珍一招，费珍的点钢枪就从手中如腾蛇般飞起，对着公孙胜刺来。这时：

公孙胜把剑望秦明一指，那条狼牙棍，早离了手，迎着钢枪，一往一来，冬的一声，倒插在北军战鼓上，把战鼓搠破。那司战鼓的军士，吓得面如土色。那条狼牙棍，依然复在秦明手中，恰似不曾离手一般……

　　看这一段交代，秦明分明跟宋江、公孙胜一起在东路作战。可是前文并无一字提到秦明由卢俊义的西路调遣到宋江的东路的事。后来，宋江派公孙胜和降将乔道清到汾阳帮助卢俊义时，也没提到秦明跟随支援。在汾阳公孙胜调兵遣将出城迎敌时，秦明的任务是与卢俊义一起出南门迎敌。可见秦明是一直在卢俊义身边的，从未到过东线。当公孙胜在东路阵前与乔道清斗法的时候，秦明远在数百里之外的西路前线，根本不在公孙胜眼前，公孙胜是无法利用秦明手中的狼牙棍的，这是非常明显的破绽。作者只考虑让公孙胜用秦明手中的狼牙棍破乔道清的点钢枪，却忽略了秦明不在现场的事实，结果搞得秦明下落不明。

卢俊义在汾阳由何门出战？

　　第九十九回卢俊义西路人马攻下田虎军占领的汾阳后，田虎的弟弟田豹败走。遇会妖术的三只眼马灵，于是二人合兵驻扎在汾阳十里之外，与卢俊义对峙。卢俊义屡战不利，只好退居城中固守，这时，巧遇公孙胜、乔道清前来支援。当时田豹等正在北门、东门、西门三个方向杀来。公孙胜调兵遣将迎击敌人，他说：

　　　　贫道出东门敌马灵，乔贤弟出西门擒武能、徐瑾，卢先锋领兵出北门，迎敌田豹……

如此分工，是有道理的。马灵会妖术，自然由公孙胜对付，田豹是对方头领，自然由卢俊义迎战。正如前面提到的，田豹人马是东西北三面进攻的，只有南门外没有田豹一兵一卒，所以卢俊义兵马自不必出南门迎敌。这是合乎情理的。可是书中却写道：

> 卢俊义同秦明、宣赞、郝思文、韩滔、彭玘，领兵出南门，迎敌田豹。

前面公孙胜明明是让卢俊义从北门出击。敌人从北门攻来，卢俊义却"避实就虚"南辕北辙出南门迎敌，怎么与敌交锋？那么，是不是敌人改变了计划，改由南门进攻了呢？非也，作者接着写道：

> 当日汾阳城外，东西北三面，旗幡蔽日，金鼓振天，同时厮杀。

再次证明南门外平静无战事。卢俊义由南门出击当为由北门出击之误。

田豹、田彪混同

汾阳大战，田虎军的主帅是田豹。第九十九回写他带领索贤、党世隆、凌光、段仁进攻汾阳北门。马灵被公孙胜破了妖术后大败。卢俊义等杀了索贤、党世隆、凌光三位敌军将领，可是下面接着写道：

> 直追田彪、段仁至十里外，杀散北军。田彪同段仁、陈宣、苗成，领败残兵，望北去了。

前文从来没有田彪与段仁等人在一起的文字。只有田豹一直和段仁等在一块，后文又写道：

> 再说田豹同段仁、陈宣、苗成统领败残军卒，急急如丧家之狗，忙忙似漏网之鱼，到威胜见田虎，哭诉那丧师失地之事。

这里又成了田豹，是明显的矛盾。汾阳大战应当是田豹，而不是田彪。

那么，田彪到底在什么地方呢？不妨追踪一下。宋江兵分两路攻击田虎时，他的二弟田豹、三弟田彪都在西线与卢俊义作战。第九十四回写道：

> 却说威胜伪省院官，接得壶关守将山士奇及晋宁田彪告急申文，奏知田虎，说宋兵势大，壶关、晋宁两处危急。

晋宁正是西线，所以田彪开始是在西线的。晋宁失守后，第九十八回里这样写的：

> 田虎手下伪省院官，接了潞城池方告急申文，正欲奏知田虎，忽报晋宁已失，御弟三大王田彪止逃得性命到此。说言未毕，恰好田彪已到。田彪同省院官入内，拜见田虎。

这时田彪已离开了晋宁西部前线，回到了威胜。后文又说：直迫田彪、段仁到十里外……分明是把田豹与田彪弄混了。

大概因为田彪开始是守晋宁的，汾阳、晋宁又都在西部前线，两地相距不远。作者在混战中也搞昏了头，疏忽了在汾阳大战时，田彪早已逃回威胜的事实，而只记得他在晋宁作战，所以误把田彪写入汾阳大战，与田豹混为一谈。再者田豹、田彪音近，也可能在抄写时混淆。总之，当时田彪已远离西部前线，汾阳大战落荒而逃者当是田豹，田彪不过是误出而已。

孙立出没无常

第一百回田虎迎战宋江。流星探马报告田虎：宋江差孙安、马灵领兵前来对阵。孙安、马灵二人原来都是田虎部将而降了宋江的，田虎闻信大怒，亲自驱兵到阵前问罪。这里：

> 北军观看宋军旗号，原来是病尉迟孙立，铁笛仙马麟。

既然首先看到的是二人旗号，那么，看来二人是宋军先锋，而且比宋江大军先一步到达。

田虎作为北军首领，出到阵前，亲自督战。宋江也亲自出马对阵：

> 南阵后，宋江统领吴用、孙新、顾大嫂、王英、扈三娘、孙立、朱仝、燕顺兵马又到。宋江也亲自督战。

"南阵后"的"后"是和孙立、马麟兵马相对而言，此处才言"后"的。可见孙立、马麟所在的位置、出现的时间是和宋江大队人马完全不同，泾渭分明。可是偏偏在这"南阵后""兵马又到"的将领中又有孙立，也就是说孙立一时间出现了两次，一在阵前，一在阵后。本来已经在阵前，后来却"又到"了一次。"又到"的人马是来支援孙立、马麟的，却又有孙立，结果自己支援自己，阵后的孙立支援阵前的孙立。如果作者想列出宋江全部将领，何以又只提孙立而不提马麟？在"又到"的兵马中删去孙立则合情合理。很明显这里写的是孙立、马麟先到，首先与敌人接触，而后宋江又率大队人马赶到，孙立又在大队人马中出现不合情理。作者写这次对阵，大概事先设想让哪几位将领参加，所以在宋江率兵马赶来时，一一列出姓名。可是却顾此失彼忘了孙立已先到一步的情节，结果出现了漏洞。

是谁杀死了李雄、毕先？

第一〇九回宋江与王庆在南丰一带大战。书中写道：

> 王庆正在慌迫，又听得一声炮响，左有鲁智深、武松、李逵、焦挺、项充、李衮、樊端、刘唐八个勇猛头领，引着一千步卒，抡动禅杖、戒刀、板斧、朴刀、丧门剑、飞刀、标枪、团牌，杀死李雄、毕先，如割瓜切菜般直杀入来；右有张清、王英、孙新、张青、琼英、扈三娘、顾大嫂、孙二娘，四对英雄夫妇，引着一千骑兵……杀散左哨军兵。

可是在同一回里的下文又说：

> 李雄被琼英飞石打下马来，一画戟搠死。毕先正在逃避，忽地里钻出活闪婆王定六，一朴刀搠下马来，再向胸膛上一朴刀，结果了性命。

从前面记叙判断李雄、毕先分明是被鲁智深等从左边进攻的人杀死的，从下文看李雄、毕先又是被从右边进攻的琼英、王定六杀死的，这显然是矛盾的。

在这次大战前，王庆是这样布阵：

> 点差云安州伪兵马都监刘以敬为正先锋，东川伪兵马都监上官义为副先锋，南丰伪统军李雄、毕先为左哨，安德伪统军柳元、潘忠为右哨，伪统军大将段五为正后合，伪御营使丘翔为副后合……

这里李雄、毕先是左哨。此次大战，王庆损失惨重，在向南丰大内撤退的过程中，突然听得后军炮响，原来是卢俊义、杨雄、石秀追杀过来，将王庆正副后合大将段五、丘翔杀死。可见虽然王庆在败走途中，布阵并没混乱，段五、丘翔仍为正副后合，所以才首先与追杀而来的卢俊义等遭遇。这时李雄、毕先仍为左哨。既然鲁智深等人从王庆左边杀来，自然要和李雄、毕先交锋，所以他二人被鲁智深等人或其部下杀死是合情合理的。而琼英等在王庆军队的右边，只能与王庆的右哨接触，根本不可能和左哨李雄、毕先遭遇，更不能杀死李雄。

活闪婆王定六看来也是和张清等四对夫妇在一起的，但前文并无交代，突然杀出，从天而降且杀死了毕先，同样不合情理事实。

同一回中无端让李雄、毕先死了两次，如论功行赏，不知宋江当褒奖何人？

燕青射雁值得"惊讶不已"吗？

第一一〇回宋江军马和王庆作战取得胜利后班师回京，途中经过宛州内乡县秋林渡，此处风景很好。

宋江在马上遥看山景，仰观天上，见空中数行塞雁，不依次序，高低乱飞，都有惊鸣之意。宋江见了，心疑作怪。又听的前军喝采，使人去问缘由，飞马回报，原来是浪子燕青，初学弓箭，向空中射雁，箭箭不空。却才须臾之间，射下数十只鸿雁。因此诸将惊讶不已。

当宋江问燕青："恰才你射雁来？"燕青答道：

小弟初学弓箭，见空中一群雁过，偶然射之，不想箭箭皆中。

这两段文字，再三强调"初学弓箭"，然而技术却如此高超，诸将自然"惊讶不已"，突出了燕青的聪明伶俐，武艺高强。同时也给人一种强烈的印象：燕青过去从来没摸过弓箭，不然何以谓"初学"。

实际上，这种写法是不当的。

燕青对弓弩之类并不陌生。第六十二回卢俊义被董超、薛霸绑在一座大树林子里将要遇害时，正是燕青藏在树上，两箭结果了董、薛二人性命。一箭射在薛霸心口上，一箭射在董超脖子上，都是目标很小的致命要害处。可见燕青箭法是何等之工，作者也赞叹："端的是百发百中。"当然燕青救主用的是弩而不是弓。用机栝发箭的弩可能比手控的弓命中率高些，二者不完全相同。但二者也有相通之处，基本技巧要领是一致的。不可想象，一个用弩射箭百发百中的人，用弓箭时还要从头花大力气学起。燕青弓弩如此娴熟，即令改学弓箭也不会太难，技术不会太差，作者忽略了燕青救卢俊义时百发百中的表现，在射雁时却如此强调"初学"，引起诸将"惊讶不已"的轰动效果，显然言过其实，给读者以错误印象，似乎在此之前燕青完全是一个"箭盲"。

吴用和阮氏兄弟生疏吗？

吴用和晁盖商议劫取生辰纲时，谈到了他和阮氏三兄弟的关系。吴用曾在他们的村子石碣村住过数年，因为看到弟兄三人是有义气的好男子，所以和他们交往。吴用还主动提出去游说三人入伙。从吴用与阮氏兄弟见面时交谈的语气和阮氏兄弟的热情，也可以看出他们之间是非常熟识的。

在古典小说中，人物出场作者往往用"但见"下面的韵文加以介绍，让读者有一个深刻的印象。《水浒传》百回本和一百二〇回本吴用到石碣村见三阮时，每见一个人都用"但见"后的诗加以描写。这里不是作者的口吻向读者介绍，而是吴用"主观镜头"摄下的印象，也就是他本人的感受。这样写显然不妥，显得吴用和三阮非常生疏，好像是第一次见面，第一次留下的不可磨灭的深刻印象。

吴用先见到的是阮小二，到了他家门口，吴用叫一声道："二哥在家么？"只见一个人从里面走出来，生得如何，但见：

> 眍兜脸两眉竖起，略绰口四面连拳。胸前一带盖胆黄毛，背上两枝横生板肋。背膊有千百斤气力，眼睛射几万道寒光。休言村里一渔人，便是人间真太岁。

和阮小七见面是这样写的："吴用看时，只见芦苇丛中摇出一只船来。那汉生的如何，但见（诗略）。"和阮小五会面是这样写的："划了半个时辰，只见独木桥边一个汉子，把着两串铜钱，下来解船。阮小二道：'五郎来了。'吴用看时，但见（诗略）。"

吴用和三阮见面，在"但见"之后用三首诗介绍了三人的外貌特征，既然吴用跟三人关系非常密切（不然也不敢去游说他们入伙作盗），三阮的身体容貌特征自然是熟悉的。阮小七对吴用说："好几时不曾相见。"阮小五说："好两年不曾见面。"看来他们相别也不过几年时间，时日不算太长。吴用在石碣村居住的时候，三个人已经和他交往，并说三人很讲义气，可见当时阮氏兄弟已经长大成人，不是孩子，相别一二年，相貌不会发生太大变化。可是由"但见"后的韵文看，似乎吴用上下打量了三人，感到非常陌生，他们的面貌身体特征给他留下了第一次强烈的印象。如果吴用和三阮离别时，三阮还都是孩子，几年不见，面貌特征发生很大变化，如此"但见"写法尚可。而现在这样写则不妥。

在韵文描写之后，作者又有几笔散文描写。阮小二是"头戴一顶破头巾，身穿一领旧衣服，赤着双脚"。阮小七是"头戴一顶遮日黑箬笠，身上穿个棋子布背心，腰系着一条生布裙"。阮小五是"斜戴着一顶破头巾，鬓边插朵石榴花，披着一领旧布衫，露出胸前刺着的青郁郁一个豹子来。里面匾扎起裤子，上面围着一条间道棋子布手巾"。这可以看作是作者的客观介绍，也可以看作是吴用眼中当时三人的打扮，它具有可变性，不像成人身体面貌那样具有一定的恒定性。几年不见，穿戴自然有所变化，因而引起了吴用的注意。所以这种描写是可以的。

在金圣叹删削的七十回本《水浒传》中就删去了"但见"后的韵文，只保留了散文的描写。这是恰当的，更合情理，更能令读者信服。

（原载《中国文化研究》1993冬之卷）

附录四

《水浒传》三桩女人命案之我见

一个艺术家的手段就在于他能在你不知不觉中，慢慢引导你走进他的艺术殿堂，这座艺术殿堂体现了他的设计思想、美的标准和追求，有其内在逻辑的合理性。因为你是在他的导游下逐步进入他的主观世界的，一开始就是按照他的标准审视欣赏他的作品的，就很难有自我意识，很难看出他艺术的破绽。如果我们能从他的导游中解脱出来，独立思考，可能就会发现他的设计思想的缺陷和笨拙。《水浒传》详写的妇女被杀案有三起：宋江杀阎婆惜，武松杀潘金莲，杨雄杀潘巧云。作者为了证明这三个女人当杀是费了一番苦心的，设计了一种艺术氛围，制造了一种"舆论"，安排了相应的情节。希望在他笔下对三个女人判斩时赢得读者一片喝彩。我们作为"法院"旁听席上的观众，如果听信作者"一面之词"，而不多问几个为什么，不保持清醒的头脑，可能就会鼓起掌来。

现在我们就以"多问几个为什么"的态度来重新审视一下这三桩命案。

合法而不般配的婚姻

这三对人组成的家庭是和谐、般配的吗？他们能相爱吗？

先考察阎婆惜和宋江。阎婆惜是个卖唱的，聪明伶俐，年方十八岁，颇有姿色，从小在行院长大，学会了诸般技艺，人人爱她。宋江虽以义孝闻名天下，但长得却又黑又矮。身高才六尺，仅比侏儒武大郎高一尺。人称"黑宋江""孝义黑三郎"。作者赞美他"坐定时浑如虎相，走动时有若狼形"。可是在阎婆惜这位风尘女子眼中，这种形象和性格未必中意。且宋江年又三旬，比她几乎大了一倍。

一个如花似玉，一个又黑又矮；一个十八，一个三旬；一个是活泼少女，一个是名闻四海老成持重成熟的官吏；一个行院里长大，一个出身孝义门第；一个妙龄女郎希望丈夫常伴，要求温馨体贴，一个英雄好汉，"于女色上不十分要紧""不以女色为念"，半月十日才去一遭。二人的结合又是出于王婆和阎婆的强行撮合，一方出于感恩，一方出于济贫，没有爱情基础。这是一对尴尬的结合。

潘金莲更加可怜，她原是清河县一个大户人家的女使。因为男主人要侮辱她，她不依从反而告诉了女主人，男主人怀恨在心，结果倒赔妆奁，一分财礼不要，把她白白嫁给了武大郎。潘金莲非常漂亮，说话伶俐，做事干练，心灵手巧，敢爱敢恨，是个心直口快的女子。正如她说的"奴家平生快性"，年龄二十二岁。

武大郎身不满五尺的侏儒，而且"面目生得狰狞，头脑可笑"，"三分像人，七分似鬼"，外号"三寸丁谷树皮"，而且是个"三答不回头，四答和身转"的慢性子蠢汉。

潘金莲是大户人家的女使，见过世面，怎么能爱一个"身材短矮，人物猥獕，不会风流"的丑陋侏儒。这是一桩天差地别、强行捏合的以牺牲女性幸福为代价的婚姻。无怪人们说："好一块羊肉，倒落在狗口里！"

再看杨雄和潘巧云，从出身看，倒是门当户对，一个行刑刽子手，一个屠户的女儿。潘巧云也是一个非常美丽的女人，从她对裴如海的感情和看法可以了解她所喜欢的男人的标准。那就是温文尔雅，干净利落，会体贴关心人。然而杨雄却是一个满身刺满了蓝靛花纹的刽子手，又一个月有二十天在牢里值班。潘巧云这位少妇不免闺房冷落，所以这也是一个不美满的婚姻。

在作者看来，只要是合法夫妻，不管是如何结合的，不管差距有多大，不管有没有感情，妻子就有义务爱丈夫，嫁鸡爱鸡，嫁狗爱狗，抱着丈夫的神主牌位拜堂成亲，就得爱那块木牌牌。女人应当以礼驱使自己的情去爱那个本来不爱的丈夫，以礼克制消灭自己的人欲。而三个女人却竟敢不爱合法的丈夫，背离了封建礼教，于是作者就满腔热情地歌颂男人宋江、杨雄，以同情赞美的口吻来写武大。对三个女性恨不得食肉寝皮。

有情而不合法的结合

阎婆惜和宋江显然是不合适的一对，这时却出现了张三。张三"眉清目秀，齿白唇红"，比宋江漂亮。张三对阎婆惜"小意儿百依百随，轻怜重惜，卖俏迎奸"，而宋江"为女色的手段却不会"，不会"装些温柔，说些风话"。张三比宋江善于体贴，而且"又会品竹弹丝"，弹奏乐器，和卖唱出身的阎婆惜情趣相投，品性接近，有共同语言，共同爱好。显然，张三对阎婆惜来说，要比宋江合适得多。正当宋江不常到她那里走动的时候，一见张三，无疑雪中送炭，一拍即合。

潘金莲这样一个聪明俊俏多情的少妇，终日伴着一个面目狰狞、头脑可笑、不会风流、没有情趣的丑陋侏儒，心情是非常痛苦的。大户男主人如此报复，对她是一种最残酷的惩罚，最残忍的精神折磨，合法的婚姻牢牢地捆绑着她。无法摆脱这永远没有尽头看不到希望的痛苦。眼看着自己青春的花朵就要在这个精神牢笼里枯萎，一生的幸福完全葬送，这比肉体的戕害更难忍受。但是她还年轻，青春的渴望并未成为死灰，于是一些浮荡子弟不免要来招惹。从她对武松说的："自从嫁得你哥哥，吃他忒善了，被人欺负，清河县里住不得，搬来这里。"也反映出她"被人欺负"的难言的苦衷，如果像作者写的那样，她是一个生来淫荡的女人，那么为什么一开始不依从有钱有势的主人，反而在结婚以后不安分？开始她并不是一个烂女人，后来这样，完全是逼出来的，是对命运强加于她的残酷精神折磨的变态的复仇，是一种破罐破摔自暴自弃的绝望心理的表现。

到了阳谷县收了心。武松的出现，又使她青春的追求萌动了。对潘金莲这个禁锢的灵魂来说，对武松产生爱慕心理，并不奇怪，武松的英俊与武大郎的丑陋形成鲜明的对照。武大郎从没跟她说过有这样一位弟弟，没有任何伦理观念的思想基础。再者，阳谷县传遍了打虎英雄的事迹，潘金莲想一瞻英雄风采而不得，但是偶像已矗立心中，不意英雄来到自己家里，惊愕之余，见武松既是英雄又是一表人物，心头闪过爱情的渴求，难以责怪。

她在武松那里碰钉子之后，遭到了更大的惩治。武松去东京为知县办事去以前，嘱咐哥哥，他离开以后，要每天减少一半炊饼，早卖完早回家，下帘子闭门。这都是针对潘金莲来的防范措施。武大果然照此办理，早出早归，日头还在半天里，就除了帘子，关上大门，把潘金莲软禁了。她虽然也争吵过，武大却主意不改。谁知武松的馊主意带来了相反的效果。蓄之愈久，爆发愈速。潘金莲和西门庆的关系中，就有着反防范的仇恨心理，你让我守活寡，我偏偏让你戴绿头巾。

西门庆是一个有钱有闲、善于讨好女人的人。正如他说的，即使漂亮女人"打我四百顿，休想我回他一拳"。身材相貌当然比武大强得多，年龄比潘金莲大五岁，二十八岁。聪明灵巧，多情风流的潘金莲却被一个丑八怪幽囚着，她渴望感情的抚慰，精神的交流，灵魂的震撼，这些在武大郎身上都追求不到，西门庆却满足了她。西门庆是花柳行中老手，温存体贴，巧言令色，潘金莲从来没让男人这样奉承关怀过，从来没享受过情投意合的滋味，一旦拥有，生生死死，如火山爆发。一个妙龄少妇，结婚多年，才第一次体验到被爱的幸福，完全沉浸其中。这是很难要求她非常理性地辨别西门庆感情的真伪，在她看来也无须如此。她是真心爱他的，并不是图他的钱财，如果是这样，大户主人调戏她时，她完全可以贪财卖身。她也没希冀西门庆娶她做正室。潘金莲对西门庆是真挚的，也不能说西门庆对潘金莲完全是玩弄而无一点真情，我们不能因为潘金莲爱这么一个浮荡子弟西门庆，而斥责她淫荡。从潘金莲的角度来说，她宁可与西门庆保持这种不合法的关系也比跟武大郎维持着合法关系好上千万倍。即使没有好结果，做鬼也风流，让人爱过一次就够了。和武大郎生活在一起精神的折磨要比死更可怕。

在王婆、西门庆的设计下，一步步把潘金莲引入感情的陷阱。她是被动者，是受害者。如果到此为止，潘金莲是值得同情的，她的行为是可以理解的。遗憾的是作者却让她走上了杀夫触犯刑律的道路，这就不可饶恕了。在同情她一生遭遇的同时，深深地感到遗憾。

再看看潘巧云和裴如海。裴如海原来是一个绒线铺里的小官人，半路出家，整天穿戴整齐干净，潘巧云还赞他念经"有这般好声音"。他的僧舍里挂着几幅名人字画，桌上焚一炉妙香。潘巧云非常赞赏，说这里"清幽静乐"，他的卧房也"铺设得十分整齐"，潘巧云看了"先自五分欢喜"，称赞"好个卧房，干干净净"。由此看来，裴如海并不是一个酒肉和尚，倒有几分文雅。从潘巧云的赞美中，把杨雄已经比下去了。也可以看出潘巧云喜欢什么样的男人。杨雄是"行刑处刀利如风"的杀人刽子手，一身蓝色花纹，结交的多是市井闲汉，爱的都是弄枪耍棒，哪来的温柔文雅，也不善对女人嘘寒问暖，对妻子多的是气使颐指。又是一个月有二十天不在家住。潘巧云遇到另一种类型的男人，文雅知礼，干净整洁，善察人意，声音悦耳，软语温柔。突然感到有一番新的境界，自然产生了爱慕之情。

这三对应该说是情投意合的，可是他们不是合法的夫妻。既然不合法，在作者看来，就必须得到残酷的惩治，让她们个个身首异处。

施耐庵怎样把三个女人推向断头台

《水浒传》中女人被杀，大都由于对丈夫不忠，除了我们论到的这三个女人外，还有卢俊义的夫人贾氏，也是因为与管家李固通奸谋害亲夫被杀。就连烟花妓女巧奴也因为在恋着安道全时又接待张旺而被张顺杀死。在作者笔下凡是不能从一而终的女人，不问青红皂白，一概处死。但为了把她们送上断头台，作者确实费了一番心思。

作者对待男女（包括夫妻）感情立了这么一个标准：寡情才是真丈夫，多情就是淫女人。好汉绝不能儿女情长，英雄气短。女人不能要求丈夫整天卿卿我我体贴温存，否则就是好淫，如有婚外情，更是罪不容诛。作者按照这个标准，笔端自然流露出褒贬、喜恶、爱憎，不管合不合情，先看合不合礼。

《水浒传》把宋江和阎婆惜的不和以至阎的被杀责任都推在阎婆惜身上。宋江只犯了一个错误：不该把张三引到家里吃酒。写这一点也是在表扬宋江对朋友信任而无戒心，突出张三的不够朋友。作者丝毫不责备宋江对阎婆惜的冷漠，不关心，半月十日去一遭。把这种置人情于不顾的做法都美化成不近女色的英雄品格，"宋公明是个勇烈大丈夫，为女色的手段却不会"。阎婆惜对他冷淡他不介意，风闻阎婆惜与张三有私情，他却这样想："又不是我父母匹配的妻室，他若无心恋我，我没来由惹气做甚么？我只不上门便了。"最后一次在阎婆惜那里，他一再忍耐，最后在阎婆惜脚后睡下。向阎婆惜讨招文袋时，更是苦苦央求，连阎婆惜要他答应让她改嫁张三的夺妻之辱都忍受了。着力写宋江的息事宁人，宽宏大度，不重女色。

在作者笔下，阎婆惜是一个水性杨花放荡的女人，第一次见张三就爱上了。把她对张三执着热烈的爱都写成是对婚姻的淫荡的背叛。

对宋江不但知恩不报，反而得寸进尺。在作者看来"恩"就是"爱"。宋江对阎家有恩，就很自然地应当得到阎婆惜的爱，而且是专一的无条件的爱，忍受一切精神痛苦也要爱。把崇敬、崇拜、感恩的感情与爱情混为一谈。否则，就是忘恩负义。而且宋江是那样高尚有道德，你阎婆惜不爱他更爱何人？作者总是把爱情简单化。一切外貌、年龄、情趣、思想的因素一概排斥在爱情条件之外。在处理武大郎与潘金莲的关系问题上，作者的这种思想表现得更为明显。

阎婆惜用招文袋作条件要达到解除与宋江的婚约而与张三结合的目的，宋江同意了。至此就够了，但是这样就无法处死阎婆惜，反而让不贞者得逞，阎婆惜曾对宋江说过："张三他有些不如你处，也不该一刀的罪。"这样奸夫淫妇不就都逍遥法外了吗？怎么办？作者于是又把阎婆惜向前推了一步，让她提出一个使宋江无法做到的无理要求——把信上梁山提到的一百两黄金给她，且寸步不让。

作者这样写是不合情理逻辑的，阎婆惜日夜盼望的就是能与张三正式结合，与宋江一刀两断。这一点在前两个条件里已经满足了，突然作者又让她无端地想发一笔意外之财。阎婆惜难道不考虑，如果上了公堂，告了宋江，宋江私通梁山的事自然败露，她和张三的奸情也要暴露吗？阎婆惜坚持最后一条，无异自杀。

作者所以要这样写，就是为阎婆惜的被杀激化矛盾创造条件，在他看来，阎婆惜是一个淫妇，自然贪得无厌，利令智昏。作者让她坚持最后一个条件，阎婆惜才更可恨，完全是一个昧良心、无廉耻、害丈夫的淫妇泼妇，造成了当杀的舆论，罪有应得。不杀阎婆惜不解作者心头之恨，在设计情节时也就顾不得合理不合理了。

潘金莲和武大郎实在是天地悬殊，潘金莲又是大户人家赏赐给武大的，故意在精神上折磨她。即令她犯了不贞罪，也比阎婆惜更容易被人理解、同情，更何况一个丑丈夫还对她防范那样严。所以作者要惩罚潘金莲，置她于死地，就要下更大功夫，就要把潘金莲写得更坏更狠毒。

第一，作者一笔抹杀或者不去看潘金莲的精神痛苦。嫁给武大郎，让她活不成，死不了，脱不开，拙夫相伴，一生痛苦，慢慢熬煎，如凌迟处死。作者对此，笔调无一丝同情，着重写她不安分，偷汉子，搞得丈夫在清河县住不下去。他不可能看到这是变态心理的报复。

第二，把潘金莲写成一个淫妇，见一个爱一个，见武松爱武松，见西门庆爱西门庆，而不去考查是在什么环境条件下，什么精神状态下造成的。

第三，只有以上情况，还不足以杀潘金莲，读者还不能心服，于是作者让她不但有乱伦思想，而且有乱伦行动。这种行为是最能激起人们的厌恶痛恨的，这样就逐渐剥夺了读者对她的同情，但是乱伦的想法没成为事实。作者就让她更进一步——杀夫。

第四，就是竭力突出武大郎的本分、老实、懦弱、善良、忍让，以他美好的品性弥补他外形丑陋的缺陷，唤起人们对他的好感，削弱对潘金莲不幸婚姻的同情，衬托潘金莲的狠毒。这样终于完成了处死潘金莲的条件，作者达到了惩治不贞女人的目的。

这样写是作者的成功，也是作者的失败。成功在于作者是一个台阶一个台阶地把她送上断头台的，比较自然。失败在于，他先有一个既定方针：不贞者都要得到严厉惩处。他没看到潘金莲既是害人者也是受害者，却对她的精神痛苦，所受的折磨以及她一步步进入王婆、西门庆设置的圈套，没有一丝一毫的同情理解，对她某些行为的合理性不做任何考察谅解。这样在作者的笔下，潘金莲就成了一个十恶不赦的荡妇，狠毒莫过妇人心，甚至乱伦杀夫。这样武老二一刀下去，人们才会哑口无言。

潘巧云的被杀是作者写得最不能服人心的。因为她和裴如海通奸并没危及杨雄的生命安全，也没有像阎婆惜对宋江那样对杨雄作威作福，那样冷淡，而且照常小心翼翼地伺候他。潘巧云被杀的原因，就是不贞，再加上诬陷石秀调戏她。这是体现作者的不贞者就应当处死的原则的最典型的例证。

杀女人是为了突出英雄

三个女人被杀，在情节结构上推动了故事的发展。宋江出逃投奔柴进，武松刺配孟州，杨雄、石秀去梁山。而最主要的是通过杀害三个妇女表现人物。不然的话，就不必那么详细地写情变和杀害的过程。

在作者看来英雄与美人永远是冤家，儿女情长，必然英雄气短。王英好女色，宋江就劝他："但凡好汉犯了'溜骨髓'三个字的，好生惹人耻笑。"所以要逼安道全上梁山，就必须先杀了他心爱的女人。宋江半月十日不去阎婆惜那里一次，武松严厉斥责了潘金莲的挑逗，第一句话就是"武二是个顶天立地、噙齿戴发男子汉"。杨雄也是一个一个月二十天不在家歇宿的人，卢俊义也是一个"平昔只顾打熬气力，不亲女色"的人，结果贾氏移情李固。女人成了考验英雄的试金石。这种把英雄与美女完全对立起来的两性观，完全是"存天理灭人欲""夫为妻纲""女人是祸水"的儒家伦理观、道德观、历史观的体现。

武松掏心割头残酷地杀潘金莲，杨雄、石秀割舌剖腹杀潘巧云，并且把五脏六腑分别挂在树上，如此残忍的行为，作者却津津乐道，非常欣赏。作者认为如此才能表现恨小非君子、无毒不丈夫、嫉恶如仇的英雄形象，杀得痛快淋漓，方显英雄本色。宣扬的是武松对武大手足情深，杨雄对石秀义情重如山。正如杨雄指责潘巧云的第一条罪状就是"坏了我兄弟情分"。作者总是把这种残酷的杀戮作为一种英雄的性格气概来加以赞扬。他以赞赏的口气写李逵劫法场救宋江时，"当下去十字街口，不问军官百姓"，乱杀一阵，在江边"百姓撞着的，都被他翻筋斗，都砍下江里去"。晁盖不让他杀百姓，他不听，"一斧一个，排头儿砍将去"。到了白龙神庙，因庙祝没出来接宋江，差点被杀。武松血溅鸳鸯楼。也是不管什么人，一概杀死，做饭的、养马的、丫环女使无一幸免。张顺在安道全的情人巧奴家也一连杀了四口。这种良莠不分的杀光行动，固然表现了英雄复仇的痛快淋漓，积怨爆发的宣泄。但同时也损害了英雄形象，让人感到英雄成了没有理性的蛮勇残暴的嗜杀者。

英雄都是爱惜名誉的，绝不容许别人玷污。石秀就是这样，他是一个精细人，当潘巧云诬陷他调戏她时，杨雄一时轻信上了当。石秀不辩解，为了洗刷自己，还他清白，竟用了四条人命。在翠屏山潘巧云承认对石秀的诬陷之后，潘巧云乞求石秀救救她。石秀毫不心软，反而撺掇杨雄采取行动。作者这样写，目的在于表现英雄眼里容不得沙子。好汉如何重视名节，但是在我们看来，用四个人的生命来洗刷一句话的冤枉，未免太过，大大损害了石秀的英雄形象。他倒成了一个只顾个人名誉不惜他人生命心胸狭窄的利己者。

这样的描写，不免使人们看到：《水浒》英雄们的"替天行道"，在女性世界中体现出来的只是替儒家规范的天理行封建主义之道，至于人性的天然之道，他们既在自身竭力遏制，又对异性极尽排斥、压制、扼杀之能事。纵然不能窒息女性的心灵，也要以消灭她们的肉体以逞他们的英雄本色。

（原载《名作欣赏》1995年4期，《新华文摘》转载）

附录五

同中有异 各有千秋

——《水浒传》相类情节析

《水浒传》的一些情节故事是家喻户晓，妇孺皆知的。耐人寻味的是施耐庵在同一部书中却写了不少相类似的情节。深入分析一下，就会发现这些情节又都是同中显异，各有千秋的。例如书中曾写过三次斗虎：武松打虎，李逵杀虎，解氏兄弟射虎。写过三次残杀妇女的重大事件：宋江杀阎婆惜，武松杀潘金莲，杨雄杀潘巧云。另外，有鲁智深拳打镇关西，又有武松醉打蒋门神；有鲁智深野猪林救林冲，又有燕青松林救卢俊义；有李逵跳楼劫法场，又有石秀跳楼劫法场等等。情节相似是文学作品的大忌，施而庵却乐此不疲，竟然一而再，再而三地犯忌，而读者读来却无重复乏味的感觉，令人不能不佩服作者如椽之笔的功力。

我们现就几个相类似的情节做一分析比较，它们同中有异，"异"在何处？为什么会有这种同中之"异"？这种"异"写得是否合理？

一

我们首先来考察一下三次斗虎。

武松打虎，在《水浒传》中对故事情节的开展并没有直接的关系，武松从柴进那里出发到清河县看望哥哥武大郎。作者完全可以让他平平安安地到家与亲人团聚。可是作者没有这样处理，却在回家途中为武松安排了一只拦路虎。

作者在写武松与老虎邂逅之前，做了大量渲染。武松在柴进庄上刚刚生了一场疟疾，身体虚弱。又喝了十八碗"三碗不过冈"的"透瓶香""出门倒"的好酒，对于景阳冈有虎的警告，认为是店家为挽留客商耍的花招。虽然在看到阳谷县官方告示之后，一度确信有虎，可是走了一段路平安无事，于是又自言自语："那得甚么大虫，人自怕了，不敢上山。"又解除了思想武装。恰好这时酒劲又发作了，走起路来踉踉跄跄。正是由于不信有虎，所以才敢放心大胆地把哨棒倚在一边，在一块大青石上躺下睡觉。

　　武松就是在醉酒、失去警觉、毫无准备的情况下与虎遭遇的。这时手中仅有的一根哨棒，第一下就打在树上折断了，造成了徒手搏虎的严峻局面。景阳冈的老虎又是什么情况呢？这是一只饿虎，不像李逵杀的是四只已经吃过李逵母亲的老虎。景阳冈的老虎主动向人进攻。在武松哨棒打折之后，这只饿虎"性发起来"，又成了一只怒虎。

　　醉汉空手搏饿虎，搏怒虎，这是何等气概！武松一出场，这场打虎的表演，惊心动魄，一下子就把武松神勇无双、气力过人的英雄形象树立起来了。这里写虎，目的在于写人，景阳冈的老虎完全是为了衬托清河县的武松。

　　武松是个胆大心细的人。在遇虎之前有些自负，但在与老虎交锋之后，武松毕竟是武松，而不是莽撞的李逵，对老虎的一扑、一掀、一剪，他都能巧妙地躲过。当大虫扑过来恰好把两只前爪搭在武松面前的一刹那，他抓住时机，丢掉半截哨棒，揪住老虎顶花皮把虎头死死按住。这样老虎就挣扎不起来，这是武松精细处。接着用脚照大虫门面上，尤其是眼睛上乱踢。眼睛是最易损伤的器官，而且只有踢得老虎两眼发花，视觉不灵，才会失掉进攻的能力，这又是武松的精细处。等到老虎的嘴被武松按到了黄泥坑内，无法再用脚踢，这时老虎已经被武松奈何得没了力气，所以武松才有可能抽出一只手来，用拳头猛打，这时也只能用拳头打，这又是武松精细处。可以说武松打虎是巧斗。如果换成李逵，他就可能单凭力气不顾后果地蛮干。所以景阳冈打虎的只能是武松。

我们再来看看李逵杀虎。

李逵生性鲁莽，但孝心很重。看到公孙胜回乡探母，触动了自己心事，大哭起来，也要把老母接出来"快活几时"。他回乡迎母是冒了很大风险的：沂水县张贴着缉捕他的文书。到家以后，哥哥又去报告了地方，要抓捕他。李逵不得不背起老母仓皇逃走，而且又是在夜里，走的是乱山深处僻静小道。这次探母，李逵险些赔上性命。最后总算把母亲接出来了，满以为可以报恩反哺。谁料千辛万苦接出了老母，还没到梁山，一天荣华富贵没享，却成了老虎口中之物。李逵此时此刻愤怒的心情是可以想见的。所以李逵杀虎与武松打虎不同。李是主动寻虎，主动进攻。复仇的怒火，使他生死置之度外。杀死一只虎崽之后，不顾危险竟然钻进虎洞又将另一只杀死。他心犹不甘，居然伏在洞内等候母虎。一怒之下，用力过猛竟将刀把也捅进了母虎肚子，母虎带刀而逃，李逵正要挺身追赶，又跳出一只吊睛白额的老虎，他又将它杀死。

兴犹未尽，务必剪草除根，又到虎窝边，提着刀察看了一遍，最后确信已杀绝，这才到泗州大圣庙里休息。

武松打虎，突然遭遇，毫无准备，被动防守，又加徒手搏虎，因之苦于周旋、久久不能取胜，描写当然也就比较详尽，有声有色，渲染浓烈，意在突出其神勇超人。李逵则不同，重点不在于表现其勇猛，而在于表现他对母亲的一片赤诚的孝心。为报杀母之仇，近似到了疯狂的程度。他准备充分，且手握利刃，对付老虎比较容易，因之李逵杀四虎不如武松杀一虎篇幅长。杀四虎如砍瓜切菜，痛快淋漓，描写简略。这样写，是符合实际的。也只有这样写，方能快读者之心。

但是清人金圣叹在比较李逵杀虎与武松打虎时，却过高地评价了李逵杀虎说"句句出奇，字字换色"，两次搏虎"各自兴奇作怪，出妙入神"。我们不能同意这种意见，实际上李逵杀虎在艺术处理上要比武松打虎逊色得多。主要是因为人与虎力量的对比，不如武松打虎悬殊那么大，矛盾冲突没有那么尖锐，也就没有那么大的惊心动魄的艺术效果，有一点金圣叹说的倒是对的："若要李逵学武松一毫，李逵不能；若要武松学李逵一毫，武松亦不敢。"武松和李逵都是按照自己的性格和所处环境行事的。

《水浒传》第四十九回写了解珍、解宝兄弟以窝弓药箭射虎的故事。老虎射死了，让毛太公赖走请赏，解氏兄弟不但没得到反而被诬下狱。接着就引起了孙立、孙新、顾大嫂劫狱，解珍、解宝双越狱的事件，掀起了一场大斗争，大风波。这次射虎赖虎事件最富有阶级斗争的意义。表现了乡绅恶霸勾结官府欺压百姓的罪行。

武松打虎、李逵杀虎与故事情节的发展关系不密切，主要是为了塑造人物形象。而解氏兄弟射虎则完全相反，正是为了展开故事所需要，它是情节发展不可缺少的环扣。因为不是通过人与虎斗来塑造人物，所以也就没有必要在如何射虎上花费笔墨。一支自动发射的毒箭就可以置虎于死地，根本不需要与人直接交手，射虎场面更没必要大书特书。因之射虎较之打虎、杀虎描写都更加简略。

武松打虎，情节惊险；李逵杀虎，干净利落；解氏兄弟射虎，一语带过。所以然者，都是由虎在文中所起的作用不同而决定的。

二

《水浒传》里阎婆惜、潘金莲、潘巧云三个封建社会的妇女都死于刀下，都犯了所谓"淫"罪。关于作者的妇女贞节现，这里我们不去讨论。现就三次重命案做些分析比较。

首先谈谈宋江杀阎婆惜。阎婆惜是宋江的外室，当她结识了张三之后，就冷淡了宋江，两人已无感情可言。所以当阎婆惜发现了宋江招文袋里晁盖的信以后，喜出望外。一个官府押司私通贼寇，知法犯法，罪名非轻。抓住这一把柄，她要狠狠敲诈一下宋江，向他提了三项要求。宋江为平息这件事，甚至同意了她提出的写一纸文书让她改嫁张三的条件。这对一个江湖豪杰来说是极大的侮辱，可是为了换回晁盖的信，连这样屈辱和条件都答应了，说明宋江开始并无杀人之心。但是与晁盖私下书信往还，信中又暴露了官府搜捕晁盖时宋江通风报信的秘密，此事一旦败露，就有杀身之祸。这封信关系着他的身家性命，一生休咎，在所必得。因此又存在着杀阎婆惜的因素。当两人争执不下，阎婆惜又声称要上公厅、上郓城县，并大喊"黑三郎杀人也"的时候，事情已经到了当断不断反受其乱的关头，宋江才动了杀机。宋江杀人是仓促应变，从某种意义上说也是一种铤而走险的"自卫"。

宋江杀人之后，按一般情况推断，应当是惊恐不安，仓促出逃。但是施耐庵却一反常规，写宋江杀人之后却异常镇静。见了阎婆就直言相告："你女儿忒无礼，被我杀了。"后来宋江还从从容容地跟阎婆一起去买棺木。作者为什么这样来写宋江呢？这一方面是为了表现宋江大丈夫敢作敢当的英雄气度；另一方面，这样写符合"孝义黑三郎""呼保义""及时雨"宋江在天下的崇高威望，他"为人最好，上下爱敬"，杀死的又是一个朝秦暮楚被人看作最下贱的妓女，他相信对这桩命案，官府、朋友会袒护他，为他开脱，所以虽杀人而仍有恃无恐。

事实果真如此。当阎婆在郓城县前喊"有杀人贼在这里"时，眼前有几个公差，一看是宋江，谁也不信婆子的话。到了公堂，知县也偏袒他，想让唐牛儿做替罪羊。为了掩人耳目不得不派朱仝、雷横去宋家村捉拿宋江，结果朱仝见了宋江就叫"公明哥哥"，并私自将他放走。那些和宋江交好的人又都出来劝说张三不要再怂恿阎婆告状。就这样一桩杀人案就不了了之。通过以上分析，我们对宋江杀人后那样镇静自若就不会感到意外了，作者这样处理是合情合理的。

我们再来分析一下武松杀潘金莲。武松虽是一介武夫，但却胆大心细，做事谨慎。在他离开阳谷去东京为知县办事之前，就嘱咐哥哥要迟出早归，严守门户。对潘金莲说"表壮不如里壮""篱牢犬不入"，旁敲侧击暗示她行为要检点，足见他的精细周到。待从东京回来后，知道哥哥突然死去，就起了疑心，决心要弄个水落石出。他首先盘问了潘金莲。他一开始就怀疑哥哥的死可能与潘金莲有关系，但是没有确凿证据，不能贸然行事。于是首先取证。找到团头何九叔，了解到了哥哥被嫂嫂毒死，西门庆贿赂何九叔遮掩验尸的实情，又取得了武大的两块黑酥骨头和西门庆贿赂何九叔的十两银子的物证。接着又去找了郓哥，调查出了奸夫就是西门庆。在人证物证俱全的情况下，武松才带领着何九叔、郓哥，随身携带着物证上堂告状。结果官府受了西门庆贿赂，不予受理，不为苦主做主。如果是李逵，他就很可能挥动板斧杀上公堂。但武松终究不是李逵，他却异常冷静，只说一句："既然相公不准所告，且却又理会。"他知道靠官府不能申冤，只好越俎代庖。可是他仍然没有立即动手，一着不慎，反遭其害。于是他请来四邻，找了一个会写字的胡正卿，当场记录下了潘金莲、王婆的口供。又让二人和邻居签了字画了押，这才杀了潘金莲和西门庆。然后才携着婆子和众人带着口供再次上堂告状。

武松杀潘金莲做了充分的准备。他知道如果杀死潘金莲和西门庆，就要证明二人当杀；要证明二人当杀，就要证明二人有奸，而且是杀死武大的凶手。武松如此谨慎小心，与他的地位有密切关系。他不像宋江那样在官府衙门有根底，有人情。所以不能像宋江那样敢于突然杀人，而不必算计后果。他杀的也不是一个妓女，而是一个有钱有势的西门庆和他的姘妇。所以要使自己立于不败之地，必须慎之又慎，必须证明杀之有据，杀之有理，杀之当杀。

杨雄杀潘巧云与二者又不同。

杨雄是一个刽子手，有胆无谋，无主见，与石秀的精明多智恰成对照。当石秀杀了和尚裴如海在杨宅巷口裸尸示众之后，杨雄确信妻子与和尚有染，当时就想在家里将潘巧云杀死，石秀却阻止了他的鲁莽行动。

杨雄杀潘巧云不像武松杀潘金莲有充分的理由和证据。正如石秀说的："你又不曾拿得他真奸，如何杀得人？"又不像宋江那样杀人之后上上下下都可以为他奔走效劳。所以杨雄、石秀杀人就不能像宋江、武松那样公开，必须秘之又秘，事先要考虑好退路。所以最后由石秀选择了翠屏山，秘密动手。首先，这里僻静不易被发现；其次，地处城外荒野行凶后便于逃走。

武松、杨雄杀人手段都极其残酷，这是相同的。但又有不同，假若说武松杀嫂手段残毒是一个刚直汉子由于眼见官衙不为申冤，不得不自己动手发泄杀兄之仇的怒火而采取的过火行动的话，那么杨雄杀妻的狠毒，则表现了一个刽子手杀人不眨眼，以杀为乐的特点。

宋江杀人出于个人利害，武松杀人出于仇，杨雄杀人出于妒。宋江急迫杀人，武松谨慎杀人，杨雄秘密杀人。由于他们性格、身份、地位和所处的境遇不同，决定了他们的行事方式。这些都是符合人物性格发展逻辑的。

三

鲁提辖拳打镇关西，武松醉打蒋门神，二者有相同处：第一，都是路见不平拔刀相助，锄强扶弱；第二，都是用激将法故意上门寻衅；第三，对方都是一再忍让，但是具体情节的处理上各有异趣。

鲁提辖一到肉店，直接向镇关西挑衅，故意刁难，激起郑屠的火气。待到郑屠不耐烦说出一句："却不是特地来消遣我？"这话像是一条引爆的火捻，鲁达立即大打出手。武松打蒋门神，开始并未与之直接交手。他在去快活林的路上虽然看到蒋门神在绿荫树下乘凉，却放过了他。这是因为蒋门神不在酒店，不便寻衅闹事。所以他用了引蛇出洞的方法，先到了酒店，故意不转睛地看那妇人，结果那妇人转头看了别处。此计不成，接着去刁难酒保，连换了三次酒。第三次换酒时，酒保已经看出他"只要寻闹相似"，所以有意让他，又给他换了好酒。此计又不成，武松更进一步，要蒋门神改姓李，这时那妇人有些动气，酒保也骂他"放屁"，等到武松追问他说什么时，酒保急忙改了口，掩饰过去。此计又没达到目的。武松无计可施。一个不近女色的英雄汉子居然用了最下策：要那妇人伴他吃酒。这一下子，终于激怒了妇人，上了武松的圈套，打将起来，引来了蒋门神。

为了区别于鲁达拳打镇关西，作者没有让蒋门神直接接待武松，却让酒保照应。酒保是雇佣来的，事不关己，躲着为妙，尽量少惹麻烦，即使让主人蒋忠换姓也没骂到自己头上，仍然能忍让避事。这是与酒保的身份一致的。如果换作蒋门神恐怕早就交了手。郑屠的气力武功都不如蒋忠，也没有张团练那样的靠山，尚且不能忍受一个提辖的挑衅，武功高强有势力的蒋忠更不会忍受一个来路不明人的侮辱。

在这里，作者让武松先打酒保、妇人，后打蒋忠，故事曲折多变，在写法、情节上就和鲁提辖拳打镇关西区别开来，别有情趣。

鲁提辖拳打镇关西，完全出于义愤，发泄心中怒火。所以镇关西嘴硬说："打得好！"鲁达就骂："直娘贼，还敢应口！"接着又是一拳。郑屠讨饶，鲁达却又说："若是和俺硬到底，洒家倒饶了你！你如何对俺讨饶，洒家偏不饶你！"硬也打，软也打，总有打的理由。鲁提辖是为出这口气来的，所以不计后果，结果三拳将郑屠打死。武松打蒋忠又不同，目的在于把蒋门神赶走，而不是结果他的性命，否则会连累朋友，将到快活林时，他就让施恩和仆人躲藏起来，自己只身前往。在教训蒋门神时，凭他打虎的拳头，可以立即置对方于死地。但是他没有这样做。对方一叫饶，武松立刻停手，向他提出了三个条件：蒋门神一一答应之后，他就饶了他的性命。武松打蒋门神是有分寸的，不能像鲁达那样只图一时痛快，嘴硬也打，讨饶也打。如果蒋忠被打死了，事态扩大，又有张团练做后台，就不好了结。不但不能夺回快活林酒店，还会连累施恩父子吃官司。自己又是一个杀人在逃的犯人，旧案未结又添新案，于己于人都不利，所以武松打蒋门神必须适可而止，这又是与鲁提辖拳打镇关西不同处。

四

李逵、石秀都是在千钧一发，宋江、戴宗、卢俊义危在一瞬的时候，从楼上跳下劫了法场的。李逵莽撞，石秀精细；李逵早有准备，石秀偶然撞上。因之两次劫法场各有面目。李逵跳楼的同时，梁山好汉也同时动手，已将刽子手团团围住，所以当李逵大吼一声从楼上跳下来时，刽子手来不及逃跑（也无法逃跑）就死于斧下。同时，宋江、戴宗有梁山众人护持，李逵无后顾之忧，才有可能排头砍去，且路径熟稔，众人才有可能跟随他杀出一条血路，冲到城外。石秀不同，他是孤身一人，无帮无靠，事先又毫无准备，所以只有巧取不能蛮干，于是在他跳楼之前，虚张声势，先在楼上大喊："梁山泊好汉全伙在此！"兵不厌诈，行刑刽子蔡福、蔡庆果真撇了卢俊义，扯了绳索就走。石秀一人又要厮杀，又要保护卢俊义，不能像李逵那样放开手脚大杀大砍，不敢恋战，拖住卢俊义，投南便走。卢俊义惊呆了，走不动，石秀初到北京道路不熟，最后必然双入囹圄。

同是跳楼劫法场，由于二人境遇不同，性格粗细有别，场面各具特色，但是无不入情入理。

鲁智深大闹野猪林和放冷箭燕青救主，情节也大致相同。鲁智深是正面写法。正当薛霸举起水火棍朝林冲劈来的时候，却听得雷鸣也似一声，飞来一条禅杖，跳出一个胖大和尚，显示了鲁智深的勇猛气概。

燕青救主却更有戏剧性。作者开始没让燕青出现。当写到薛霸举起水火棍望着卢俊义脑门上劈下来，读者不明卢俊义生死之时，突然收煞，笔锋转向在外面望风的董超。写他"只听得一声扑地响，只道完事了，慌忙走入来看时，卢员外依旧缚在树上，薛霸倒仰卧在树下，水火棍撇在一边"。现场景象使董超和读者都感到意外。难怪董超心想："却又作怪，莫不是他使的力猛，倒吃一交？"这种想法合情合理，在没发现薛霸中箭之前，只能如此推断。可是当董超用手扶时，又扶不动。按正常情况，跌跤后别人一扶应当站起。现在这个样子，不禁使人又生疑窦。待到董超发现薛霸口吐鲜血，心窝里有一支三四寸长的箭杆的时候，才知道薛霸已经死去。然而这箭是从哪里射来的呢？谜底仍未揭晓。董超正要喊叫，这才看到东北角树上，坐着一个人。燕青出现，一切真相大白。

假如说大闹野猪林使人感到的是震惊突然，痛快淋漓的话，那么燕青救主给人的感觉就是疑云重重，引人入胜，饶有趣味。

鲁智深用的是禅杖，所以必须短兵相接，必须在地上隐蔽，这样行动敏捷，便于在危急关头跳出来救助朋友。这就决定了一开始鲁智深就必须出现。燕青用的是弓箭，所以只能远攻巧取，也只有藏在树上，居高临下，才便于把董超、薛霸和卢俊义分开来，不致误伤主人。如果平地发箭，燕青、薛霸、卢俊义不是处在三角位置上，而是在同一条纵线上，那么就很难保证不伤卢俊义。再者，一支三四寸长的箭杆不是六十二斤重的禅杖，不易被发觉。所以先见薛霸倒地，再写董超去扶，后写看到心窝中箭，徐徐写来，燕青最后出现。

一个躲在树后，一个藏在树上；一个突然跳出，一个像电影镜头"化出"的手法一亲，逐渐显现。写法不同，各有道理，都符合生活细节的真实。

当然，在《水浒传》中也有几乎完全雷同而缺乏各自特色的情节。董超、薛霸在杀害林冲、卢俊义之前，如何故意烫伤林、卢的脚；林、卢二人如何难于行路；到了一个林子，董薛二人如何要睡而不放心犯人；如何把林、卢绑在树上；董、薛在动手杀人之前如何洗刷自己等等，基本上都是相同的。然而金圣叹在第六十二回卢俊义被捆绑在树上，董、薛二人要行凶时，夹批称赞道："可谓与林冲传一字不换矣，笔力之大如此。"说"一字不换"，虽然过分，尚接近事实。说"笔力之大如此"则不知从何说起。

这两处几乎雷同的写法，如果说还有可取之处的话，那就是给人一种印象：董超、薛霸这些官衙爪牙贪赃枉法、图财害命的事干得太多了，久而久之，连用的手法、说的话几乎都有了一定格式。正如第八回林冲等到了野猪林时，作者写道："这座林子内，但有些冤仇的，使用些钱与公人，带到这里，不知结果了多少好汉。"但是这两处写法毕竟太相似了，总不免给人一种重复乏味的感觉，是谈不上"笔力之大如此"的。

在一本书里写了这么多相类似的故事，恐怕在世界文学宝库中也是罕见的。犹如一片花圃，牡丹与芍药并开，玫瑰与月季同放，花虽有同处，各自呈娇艳。山外有青山，楼外有高楼，这些同中有异的精彩故事，我们倒是可以用金圣叹的话来赞美："笔力之大如此！"

（曾获北京语言学院科研一等奖，载《古典小说艺术的微观世界》）